L'ABBÉ CONSTANTIN

PAR

LUDOVIC HALÉVY
DE L'ACADÉMIE FRANÇAISE

WITH INTRODUCTION, NOTES, AND VOCABULARY

BY

KATHARINE BABBITT
MISS PORTER'S SCHOOL

GINN AND COMPANY
BOSTON · NEW YORK · CHICAGO · LONDON

515.2

The Athenæum Press
GINN AND COMPANY · PROPRIETORS · BOSTON · U.S.A.

CONTENTS

INTRODUCTION

It was Ludovic Halévy's birthright, through several members of his family who had attained distinction, to know as a youth what was best worth knowing in literary and artistic Paris. When Napoleon III made himself emperor in 1852, we find Halévy, then only eighteen years of age, already prepared to enter the twofold career of government official and dramatist. Through his father's friend, the Duke de Morny, musician, adventurer, and statesman, and half brother of the emperor, he obtained an appointment in the government service. He performed his duties satisfactorily and was advanced rapidly in spite of the fact that his main interest, from the very start, was in writing for the stage. When he severed his connection with the government on the death of Morny in 1865, he had already made a place for himself as a librettist and dramatist. This early work was written for the most part in collaboration with Hector Crémieux, and published under the name of Jules Servières. To this period belong "la Chanson de Fortunio" and the libretto for Offenbach's "Orphée aux enfers." A later and more famous collaboration with Henri Meilhac lasted for some twenty years. The long series of comedies, comic operas, and operettas produced by these two tireless workers were immensely popular in their day, and many of them are still favorites. "La Belle Hélène" (1864, music by Offenbach) marked an epoch in the history of comic opera. Other librettos for Offenbach were "Barbe bleue" (1866), "la Grande Duchesse de Gérolstein" (1867), "la Périchole" (1868), and "les Brigands" (1869). The libretto for Bizet's "Carmen," adapted from Mérimée's story, was written in 1875. The best known of the comedies are "Froufrou," which made a sensation when it was first given in 1869, with Aimée Desclée in the title rôle, "le Réveillon" (1872), "l'Été de la Saint-Martin" (1873), "la Petite Marquise" (1874), and "la Cigale" (1877).

The joint works of Meilhac and Halévy are first of all, though fortunately not altogether, products of the Second Empire. It is plain that they suffer at times from reflecting too faithfully certain aspects of the Paris of Napoleon III. It was a period of unrestraint, a bit noisy, peculiarly lacking in religious reverence, and much given over to materialism. The spirit of adventure was abroad, though it did cloak itself somewhat in the smug philistinism of the adventurer turned respectable. The blight of hypocrisy Meilhac and Halévy escaped, though not without falling into occasional license and disregard for things the world has held sacred. The Offenbach librettos, for instance, are more or less open to this criticism, though it by no means applies to plays like "l'Été de la Saint-Martin" and others which are in every way admirable. Even where their merriment is a shade too boisterous, it is saved from degenerating into mere farce by being coupled with skillful technique, graceful expression, and keen observation of human nature.

In 1870, the Franco-Prussian War pricked the bubble of the Second Empire and its particular type of gayety, and, at the same time, momentarily emptied the theaters. In the absence of demand for stage productions, Halévy published separately a series of sketches ("Monsieur et Madame Cardinal" and "l'Invasion") that for the first time made clear the value of his share in the collaboration with Meilhac. It would seem that Meilhac supplied the dash and liveliness of incident, together with a quaint humor that has caused him to be compared with Marivaux. What we find in Halévy is great delicacy of feeling and telling characterization, expressed in a style that is clear, graceful, and restrained.

Both writers of course had the sense of dramatic structure. Halévy's tendency is toward realism, but a realism in which the imagination is active in selecting and transforming its facts. As time went on, he was increasingly opposed to a group of so-called realistic writers who recognized reality only in the depraved and the unclean. There is no doubt that a large number of French writers of fiction have made the picture very black, and it is not surprising if we have concocted for ourselves a fantastic notion of the French character. If, in "l'Abbé Constantin," Halévy undertook to prove "*qu'on peut intéresser les honnêtes gens avec les braves gens*," he could scarcely have been more successful. The book opened the doors of the French Academy to the author, in 1884, and still holds its own with the public of to-day, adding yearly to its formidable list of editions. "L'Abbé Constantin" is none the less lively for want of a villain. It makes no pretension to being profound, but its simplicity is that of the finished artist. In structure it gives evidence of Halévy's long apprenticeship to the drama, but more than this, it is filled with the kindliness of a man who has ripened in experience to good purpose.

With the exception of a few stories and sketches ("Criquette," "Deux Mariages," "Princesse," etc.) Halévy published comparatively little for a number of years preceding his death, in 1908. However, in spite of failing health, he gave generous assistance to the literary beginnings of the younger generation. Always modest about his own work, he was accustomed to say, "*Ils sont étonnants, ces jeunes; ils sont très forts, plus forts que nous.*"

L'ABBÉ CONSTANTIN

I

D'un pas encore vaillant et ferme, un vieux prêtre marchait sur la route poudreuse, en plein soleil. Il y avait déjà plus de trente ans que l'abbé Constantin était curé de ce petit village qui dormait là, dans la plaine, au bord d'un mince cours d'eau appelé la Lizotte. 5

L'abbé Constantin, depuis un quart d'heure, longeait le mur du château de Longueval ; il arriva devant la grille d'entrée qui s'appuyait, haute et massive, sur deux lourds piliers de vieilles pierres brunies et rongées par le temps. Le curé s'arrêta et tristement regarda deux immenses affiches bleues placardées 10 sur les piliers.

Ces affiches annonçaient que, le mercredi 18 mai 1881, à une heure de relevée, aurait lieu,† à l'audience des criées du tribunal civil de Souvigny, la vente du domaine de Longueval, divisé en quatre lots : 15

1° Le château de Longueval et ses dépendances, belles pièces d'eau, vastes communs, parc de cent cinquante hectares entièrement clos de murs et traversé par la rivière de la Lizotte. Mise à prix : six cent mille francs ;

2° La ferme de Blanche-Couronne, trois cents hectares, mise 20 à prix : cinq cent mille francs ;

3° La ferme de la Rozeraie, deux cent cinquante hectares, mise à prix : quatre cent mille francs ;

4° La futaie et les bois de la Mionne, d'une contenance de quatre cent cinquante hectares, mise à prix : cinq cent cinquante 25 mille francs.

NOTE. A word marked with a dagger (†) indicates that idiomatic expressions are classified under that word in the vocabulary.

Et ces quatre chiffres additionnés au bas de l'affiche donnaient la respectable somme de deux millions cinquante mille francs.

Ainsi donc il allait[†] être divisé, ce magnifique domaine qui, depuis deux siècles, échappant au morcellement, avait toujours été transmis intact, de père en fils, dans la famille des Longueval. L'affiche annonçait bien que, après l'adjudication provisoire des quatre lots, il y aurait faculté de réunion et mise en adjudication du domaine tout entier ; mais c'était un bien gros morceau et, selon toute apparence, aucun acheteur ne se présenterait.

La marquise de Longueval était morte, six mois auparavant ; en 1873, elle avait perdu son fils unique, Robert de Longueval ; les trois héritiers étaient les petits-enfants de la marquise, Pierre, Hélène et Camille. On avait dû mettre le domaine en vente, Hélène et Camille étant mineures. Pierre, un jeune homme de vingt-trois ans, avait fait des folies, était à moitié ruiné et ne pouvait songer à racheter Longueval.

Il était midi. Dans une heure, il aurait un nouveau maître, le château de Longueval. Et ce maître, qui serait-il ? Quelle femme, dans le grand salon tout entouré d'anciennes tapisseries, prendrait, au coin de la cheminée, la place de la marquise, la vieille amie du pauvre curé de campagne ? C'était elle qui avait relevé l'église du village ; c'était elle qui se chargeait[†] de l'approvisionnement et de l'entretien de la pharmacie tenue au presbytère par Pauline, la servante du curé ; c'était elle qui, deux fois par semaine, dans son grand landau tout encombré de petits vêtements d'enfant et de gros jupons de laine, venait prendre l'abbé Constantin et faisait avec lui ce qu'elle appelait *la chasse aux pauvres*.

Il reprit sa marche en pensant[†] à tout cela, le vieux prêtre. . . . Puis il pensait aussi, — les plus grands saints ont eu leurs petites faiblesses, — il pensait aussi à ses chères habitudes de trente années brusquement interrompues. Tous les jeudis et tous les dimanches, il dînait au château. . . . Comme il était gâté, choyé, câliné ! . . . La petite Camille — elle avait† huit ans — venait s'asseoir sur ses genoux et lui disait :

— Vous savez, monsieur le curé, c'est dans votre église que je veux me marier, et bonne maman† enverra des fleurs tout plein, tout plein l'église . . . plus que pour le mois de Marie. Ce sera comme un grand jardin tout blanc, tout blanc, tout blanc !

Le mois de Marie ! . . . C'était alors le mois de Marie ; l'autel, autrefois, à cette époque-là, disparaissait sous les fleurs apportées des serres du château. Cette année, sur l'autel, rien que quelques pauvres bouquets de muguet et de lilas blanc, dans des vases de porcelaine dorée. Autrefois, tous les dimanches, à la grand'messe, et tous les soirs, pendant le mois de Marie, mademoiselle Hébert, la lectrice de madame de Longueval, venait tenir le petit harmonium donné par la marquise. . . . Aujourd'hui le pauvre harmonium, réduit au silence, n'accompagnait plus la voix des chantres et les cantiques des enfants. Mademoiselle Marbeau, la directrice de la poste, était un peu† musicienne, et de bien bon cœur† elle aurait pris la place de mademoiselle Hébert ; mais elle n'osait pas, elle avait† peur d'être notée comme cléricale et d'être dénoncée par le maire, qui était libre penseur. Cela aurait pu nuire à son avancement.

Le mur du parc venait† de finir, de ce parc dont tous les détours étaient familiers au vieux curé. La route suivait maintenant les bords de la Lizotte et, de l'autre côté de la petite rivière, s'étendaient les prairies des deux fermes ; puis, au delà, s'élevait la haute futaie de la Mionne. Morcelé . . . le domaine allait être morcelé ! . . . Cette pensée déchirait le cœur du pauvre prêtre. Pour lui, tout cela, depuis trente ans, tenait ensemble, faisait† corps. C'était un peu son bien, sa chose, cette grande propriété. Il se sentait chez lui sur les terres de Longueval. Il lui était arrivé plus d'une fois de s'arrêter complaisamment devant quelque immense champ de blé, d'arracher un épi, de l'égrener et de se dire :

—Allons† ! le grain est beau, bien ferme et bien nourri. Nous aurons cette année une bonne récolte.

Et, joyeusement, il reprenait sa route à travers *ses* champs, *ses* herbages et *ses* prairies. Bref, par toutes les choses de sa vie, par toutes ses habitudes, tous ses souvenirs, il tenait† à ce domaine dont la dernière heure était venue.

L'abbé apercevait au loin† la ferme de Blanche-Couronne ; ses toitures en tuiles rouges se détachaient sur la verdure de la futaie. Là encore, le curé se trouvait chez lui. Bernard, le fermier de la marquise, était son ami, et, lorsque le vieux prêtre s'était attardé dans ses visites aux pauvres et aux malades, lorsque, le soleil se rapprochant de l'horizon, l'abbé se sentait un peu de fatigue dans les jambes et de tiraillements dans l'estomac, il s'arrêtait, soupait chez Bernard, se régalait d'un bon fricot de lard et de pommes de terre, vidait son pichet de cidre ; puis, après le souper, le fermier attelait sa vieille jument noire à son petit cabriolet et reconduisait le curé à Longueval. Tout le long† de la route, ils bavardaient et se querellaient. . . . Le curé reprochait au fermier de ne pas venir à la messe, et celui-ci de répondre :

— La femme et les filles y vont pour moi. . . . Vous savez bien, monsieur le curé, c'est comme ça chez nous. Les femmes ont de la religion pour les hommes. Elles nous feront ouvrir les portes du paradis.

Et malicieusement il ajoutait, en allongeant un petit coup de fouet à la jument noire :

—S'il y en a un !

Le vieux curé bondissait dans le vieux cabriolet.

— Comment ! s'il y en a un ? Mais certainement il y en a un !

— Alors vous y serez, monsieur le curé. Vous dites que ce n'est pas sûr . . . et moi, je vous dis que si. . . . Vous y serez ! vous y serez ! à la porte, guettant vos paroissiens et continuant à vous occuper† de nos petites affaires. . . . Et vous direz à saint Pierre . . . car c'est bien saint Pierre, n'est-ce pas, qui tient les clefs du paradis ?

— Oui, c'est saint Pierre.

— Eh bien,[†] vous lui direz, à saint Pierre, s'il veut me fermer la porte au nez, sous prétexte que je n'allais pas à la messe, vous lui direz : « Bah ! laissez-le passer tout de même.[†] . . . C'est Bernard, un des fermiers de madame la marquise, un brave homme. Il était[†] du conseil municipal, et il a voté pour le maintien des sœurs qu'on voulait renvoyer de l'école. » Ça touchera saint Pierre, qui répondra : « Eh bien, allons, passez, Bernard, mais c'est bien pour faire plaisir[†] à M. le curé. » Car vous serez encore curé là-haut, et curé de Longueval. Ce serait trop triste pour vous le paradis, si ça vous empêchait de rester curé de Longueval.

Curé de Longueval, oui, toute sa vie il n'avait été que cela, n'avait jamais rêvé autre chose et n'avait jamais voulu autre chose. A trois ou quatre reprises, on lui avait proposé de grosses cures de canton, d'un bon rapport, avec un ou deux vicaires. Il avait refusé. Il aimait sa petite église, son petit village, son petit presbytère. Il était là seul, tranquille, faisant tout lui-même ; toujours par voie[†] et par chemin, sous le soleil et sous la pluie, sous le vent et sous la grêle. Son corps s'était endurci à la fatigue, mais son âme était restée douce et tendre.

Il vivait dans son presbytère, grande maison de paysan qui n'était[†] séparée de l'église que par le cimetière. Quand le curé montait à l'échelle pour palisser ses poiriers et ses pêchers, par-dessus la crête du mur il apercevait les tombes sur lesquelles il avait dit les dernières prières et jeté les premières pelletées de terre. Alors, tout[†] en faisant sa besogne de jardinier, il disait mentalement une petite oraison pour le salut de ceux de ses morts qui l'inquiétaient et qui pouvaient être retenus dans le purgatoire. Il avait une foi naïve et tranquille.

Mais, parmi ces tombes, il y en avait une qui, plus souvent que les autres, avait sa visite et ses prières. C'était la tombe de son vieil ami, le docteur Reynaud, mort entre ses bras en 1871, et dans quelles circonstances! Le docteur était comme Bernard, jamais il n'allait à la messe et jamais il n'allait à confesse; mais il était si bon, si charitable, si compatissant à ceux qui souffraient! 5 . . . C'était la grande préoccupation, la grande inquiétude du curé. Son ami Reynaud, où était-il? Puis il se rappelait la noble vie du médecin de campagne, toute de courage et d'abnégation, il se rappelait sa mort, surtout sa mort! et il se disait:

—Au paradis! il ne peut être qu'au paradis! Le bon Dieu 10 lui a peut-être fait faire un peu de purgatoire . . . pour la forme . . . mais il a dû l'en retirer au bout de cinq minutes. . . .

Voilà tout ce qui passait par la tête du vieux curé pendant qu'il continuait sa route vers Souvigny. Il s'en allait† à la ville, chez l'avoué de la marquise, pour connaître le résultat de la 15 vente, pour savoir quels étaient les nouveaux maîtres de Longueval; l'abbé avait encore un kilomètre à parcourir, avant d'atteindre les premières maisons de Souvigny; il suivait le mur du parc de Lavardens, quand il entendit au-dessus de sa tête des voix qui l'appelaient:

20 —Monsieur le curé! monsieur le curé!

En cet endroit, bordant le mur, une longue allée de tilleuls faisait terrasse et l'abbé, levant la tête, aperçut madame de Lavardens et son fils Paul.

—Où allez-vous, monsieur le curé? demanda la comtesse.

25 —A Souvigny, au tribunal, pour savoir . . .

—Restez ici. . . . M. de Larnac doit venir, après la vente, me dire le résultat.

L'abbé Constantin monta sur la terrasse.

Gertrude de Lannilis, comtesse de Lavardens, avait été très 30 malheureuse. A dix-huit ans, elle fit une folie, la seule de sa vie, mais irréparable. Elle épousa, par amour, dans un élan d'enthousiasme et d'exaltation, M. de Lavardens, un des hommes les plus séduisants et les plus spirituels de ce temps. Lui ne l'aimait pas et ne se mariait que† par nécessité ; il avait dévoré jusqu'au dernier sou sa fortune patrimoniale et, depuis deux ou trois années, ne se soutenait dans le monde que par des expédients. Mademoiselle de Lannilis savait tout cela et ne se faisait à cet égard aucune illusion, mais elle se disait :

— Je l'aimerai tant, qu'il finira par m'aimer.

De là tous ses malheurs. Son existence aurait été tolérable, si elle n'avait pas tant aimé son mari, mais elle l'aimait trop. Elle ne réussit qu'à le fatiguer de ses obsessions et de ses tendresses. Il reprit et continua sa vie d'autrefois, qui était fort désordonnée. Quinze années se passèrent ainsi dans un long martyre, supporté par madame de Lavardens avec toute l'apparence d'une impassible résignation ; résignation qui n'était pas dans son cœur. Rien ne put la distraire ni la guérir de cet amour qui la déchirait.

M. de Lavardens mourut en 1869 ; il laissait un fils âgé de quatorze ans et chez lequel déjà se montraient tous les défauts et toutes les qualités de son père. Sans être sérieusement compromise, la fortune de madame de Lavardens se trouvait† un peu ébranlée et un peu diminuée. Madame de Lavardens vendit l'hôtel de Paris, se retira à la campagne, vécut avec beaucoup d'ordre et d'économie, se consacrant tout entière à l'éducation de son fils.

Mais, là encore, les chagrins et les tristesses l'attendaient. Paul de Lavardens était intelligent, aimable et bon, mais absolument rebelle à toute contrainte et à tout travail. Il désespéra les trois ou quatre précepteurs qui vainement s'efforcèrent de lui faire entrer quelque chose de sérieux dans la tête, se présenta à Saint-Cyr, ne fut pas admis et commença par dévorer, à Paris, le plus rapidement du monde, et le plus follement, deux ou trois cent mille francs.

Cela fait, il s'engagea au premier régiment de chasseurs d'Afrique, eut la chance de faire,† pour ses débuts, partie d'une petite colonne expéditionnaire dans le Sahara, se conduisit bravement, devint très rapidement maréchal† des logis et, au bout de trois années, allait† être nommé sous-lieutenant. Paul avait fini son temps, il quitta le service et revint à Paris. Il vécut de la brillante et misérable existence des désœuvrés. . . . Mais il ne passait à Paris que trois ou quatre mois. Sa mère lui faisait une pension de trente mille francs et lui avait déclaré que jamais, elle vivante, il n'aurait un sou de plus avant son mariage. Il connaissait sa mère et savait qu'il fallait tenir† ses paroles pour choses sérieuses. Aussi, voulant faire bonne figure à Paris et y mener joyeuse vie, dépensait-il ses trente mille francs, entre les mois de mars et de mai, puis revenait docilement se mettre au vert† à Lavardens, chassant, pêchant et montant† à cheval avec les officiers du régiment d'artillerie qui tenait garnison à Souvigny.

Dès que le curé fut en présence de madame de Lavardens :

— Je puis, lui dit-elle, sans attendre l'arrivée de M. de Larnac, vous dire les noms des acquéreurs de Longueval. Je suis absolument tranquille et ne mets† pas en doute le succès de notre combinaison. Pour ne pas nous faire sottement la guerre, nous nous sommes mis d'accord,† mon voisin M. de Larnac, M. Gallard, un gros banquier de Paris, et moi. M. de Larnac aura la Mionne ; M. Gallard, le château et Blanche-Couronne ; moi, la Rozeraie. Je vous connais, monsieur le curé, vous devez être inquiet pour vos pauvres. Rassurez-vous. Ces Gallard sont très riches et vous donneront beaucoup d'argent.

En ce moment, une voiture parut au loin† sur la route, dans un nuage de poussière.

— Voici M. de Larnac, s'écria Paul. Je reconnais ses poneys.

Tous les trois, en hâte, descendant de la terrasse, retournèrent au château. . . . Ils y arrivèrent au moment où la voiture s'arrêtait devant le perron.

— Eh bien† ? demanda madame de Lavardens.

— Eh bien, répondit M. de Larnac, nous n'avons rien. . . .

— Comment, rien ? demanda madame de Lavardens, fort pâle et fort émue.

— Rien, rien, absolument rien, ni les uns ni les autres.

Et M. de Larnac, sautant à bas de la voiture, raconta ce qui venait† de se passer† à l'audience des criées du tribunal de Souvigny.

— Tout, dit-il, a d'abord marché comme sur des roulettes. Le château est adjugé à M. Gallard pour six cent mille cinquante francs. Pas de compétiteur. . . . Une enchère de cinquante francs avait suffi. En revanche,† petite bataille pour Blanche-Couronne. Les enchères s'élèvent de cinq cent mille à cinq cent vingt mille francs, et encore la victoire à M. Gallard. Nouvelle bataille et plus vive pour la Rozeraie ; elle vous est enfin adjugée, madame, pour quatre cent cinquante-cinq mille francs . . . et moi, j'enlève sans concurrence la forêt de la Mionne avec une surenchère de cent francs. Tout paraissait fini ; on était déjà debout dans l'assistance ; on entourait nos avoués pour savoir le nom des acquéreurs. Cependant M. Brazier, le juge chargé de la vente, réclame le silence, et l'huissier met en vente les quatre lots réunis à deux millions cent cinquante ou soixante mille francs, je ne sais plus au juste.† . . . Un murmure ironique circule dans l'auditoire. De tous côtés on entendait dire : « Personne, allez, il n'y aura personne. . . . » Mais le petit Gibert, l'avoué, qui était assis au premier rang et qui, jusque-là, n'avait pas donné signe de vie, se lève et dit tranquillement : « J'ai acquéreur pour les quatre lots réunis à deux millions deux cent mille francs. » Ce fut comme un coup de foudre ! Une grande clameur suivie bientôt d'un grand silence. La salle était pleine de fermiers et de cultivateurs des environs. Tant d'argent pour de la terre, cela les jetait dans une sorte de stupeur respectueuse. . . . Cependant M. Gallard se penche vers Sandrier, l'avoué qui avait porté ses enchères. . . . La lutte s'engage entre Gibert et Sandrier. . . . On arrive à deux millions cinq cent mille francs. . . . Court moment d'hésitation chez M. Gallard. . . . Il se décide. . . . Il continue jusqu'à trois millions. . . . Là, il s'arrête et le domaine est adjugé à Gibert. . . . On se jette sur lui, on l'entoure, on l'écrase. . . . « Le nom, le nom de l'acquéreur ? — C'est une Américaine, répond Gibert, madame Scott. »

— Madame Scott ! s'écria Paul de Lavardens.

— Tu la connais ? demanda madame de Lavardens.

— Si je la connais ! . . . si je la . . . ! Pas du tout.[†] . . . Mais j'étais au bal chez elle, il y a[†] six semaines.

— Au bal chez elle ! . . . et tu ne la connais pas ! . . . Quelle sorte de femme est-ce donc ?

— Ravissante, délicieuse, idéale, une merveille !

— Et il y a un M. Scott ?

— Certainement, un grand blond. Il était à son bal. . . . On me l'a montré. . . . Il saluait au hasard,[†] de droite et de gauche. Il ne s'amusait guère, je vous en réponds.[†] . . . Il nous regardait et il avait l'air[†] de se dire : « Qu'est-ce que c'est que tous ces gens-là ? . . . Qu'est-ce qu'ils viennent faire chez moi ? . . . » Nous venions voir madame Scott et miss Percival, la sœur de madame Scott. . . . Et ça en valait la peine[†] !

— Ces Scott, dit madame de Lavardens en s'adressant à M. de Larnac, est-ce que vous les connaissez ?

— Oui, madame, je les connais. . . . M. Scott est un Américain colossalement riche, qui est venu s'installer à Paris l'année dernière. . . . Dès que ce nom a été prononcé, j'ai compris que la victoire n'avait jamais été indécise. Gallard était battu d'avance.[†] Les Scott ont commencé par acheter à Paris un hôtel de deux millions, du côté[†] du parc Monceau.

— Oui, rue Murillo, dit Paul, puisque je vous dis que je suis allé au bal chez eux ; c'était . . .

— Laisse donc parler M. de Larnac. Tu nous la raconteras tout à l'heure,[†] l'histoire de ton bal chez madame Scott.

— Voilà donc mes Américains installés à Paris, continua M. de Larnac, et la pluie d'or a commencé. De vrais parvenus s'amusant à jeter follement l'argent par les fenêtres.[†] Cette grande fortune est toute récente ; on raconte que madame Scott, il y a† une dizaine d'années, mendiait dans les rues de New-York.

— Elle a mendié ?

— On le dit, madame. Puis elle s'est mariée avec ce Scott, le fils d'un banquier de New-York . . . et, tout d'un coup,† un procès gagné leur a mis entre les mains, non pas des millions, mais des dizaines de millions. Ils ont quelque part,† en Amérique, une mine d'argent, mais une mine sérieuse, une vraie mine, une mine d'argent . . . dans laquelle il y a de l'argent. . . . Ah ! vous allez voir quel luxe va éclater à Longueval ! . . . Nous aurons tous l'air† de pauvres dans le pays. On prétend qu'ils ont cent mille francs à dépenser par jour.

— Voilà nos voisins ! s'écria madame Lavardens. Une aventurière ! Et ce n'est rien encore . . . une hérétique, monsieur l'abbé, une protestante !

Une hérétique ! une protestante ! Pauvre curé ! c'était bien à cela que, tout de suite,† il avait pensé† en entendant ces mots : *une Américaine*, *madame Scott*. La nouvelle châtelaine n'irait pas à la messe ! Que lui importait qu'elle eût mendié ! Que lui importaient ses dizaines et dizaines de millions ! Elle n'était pas catholique ! Il ne baptiserait plus les enfants nés à Longueval, et la chapelle du château, où si souvent il avait dit la messe, allait être transformée en un oratoire protestant, qui entendrait la parole glaciale de quelque pasteur calviniste ou luthérien.

Au milieu de tous ces gens consternés, désolés, seul, Paul de Lavardens paraissait radieux.

— Une ravissante hérétique, en tout cas,† dit-il, et même, s'il vous plaît, deux ravissantes hérétiques ! Il faut les voir, les deux sœurs, à cheval, au Bois, avec les deux petits grooms pas plus hauts que ça, par derrière. . . .

— Allons, Paul, raconte-nous ce que tu sais, ce bal dont tu parlais. . . . Comment es-tu allé au bal chez ces Américaines ?

— Par le plus grand hasard ! . . . Ma tante Valentine restait chez elle ce soir-là. . . . J'arrive vers dix heures . . . et dame ! ça n'est pas d'une gaieté folle, les mercredis de ma tante Valentine. . . . J'étais là depuis vingt minutes quand j'aperçois Roger de Puymartin qui s'esquivait adroitement. Je le rattrape dans le vestibule. Je lui dis : « Rentrons ensemble. — Oh ! je ne rentre pas. — Où vas-tu ? — Au bal. — Chez qui ? — Chez les Scott ; veux-tu venir avec moi ? — Mais je ne suis pas invité. — Moi non plus† ! — Comment ! toi non plus ? — Non, je vais attendre un de mes amis. — Et les connaît-il, les Scott, ton ami ? — A peine,† mais assez pour nous présenter tous les deux. . . . Viens donc. . . . Tu verras madame Scott. — Oh ! je l'ai vue, à cheval, au Bois. — Elle n'est pas décolletée à cheval. Tu n'as pas vu ses épaules . . . et ce sont ses épaules qu'il faut voir. . . . Il n'y a rien de mieux à Paris pour le moment. . . . » Et, ma foi† ! je suis allé au bal . . . et j'ai vu les cheveux rouges de madame Scott, et j'ai vu les blanches épaules de madame Scott . . . et j'espère bien les revoir, quand il y aura des bals à Longueval. . . .

— Paul ! dit madame de Lavardens, en lui montrant l'abbé.

— Oh ! monsieur l'abbé, je vous demande bien pardon. . . . Est-ce que j'ai dit quelque chose ? . . . Non, il me semble. . . .

Le pauvre prêtre n'avait pas entendu. Sa pensée était ailleurs. Déjà, dans une des rues du village, il voyait le pasteur du château s'arrêter devant chaque maison et glisser sous les portes de petites brochures évangéliques.

Continuant son récit, Paul entama une description enthousiaste de l'hôtel, qui était une merveille. . . .

— De mauvais goût . . . et de luxe criard, interrompit madame de Lavardens.

— Pas du tout,† maman, pas du tout ! . . . Rien de criard, rien de tapageur. . . . Des meubles admirables, des arrangements pleins de grâce et d'originalité. . . . Une serre incomparable inondée de lumière électrique. Et le buffet installé dans la serre, sous une treille chargée de raisins . . . au mois d'avril ! . . . et on pouvait en cueillir à pleines mains† ! Les accessoires du cotillon avaient, paraît-il, coûté quarante mille francs. Des bijoux, des bonbonnières, des bibelots délicieux . . . avec prière 5 de les emporter. Moi, je n'ai rien pris ; mais bien des gens ne s'en faisaient pas faute.† . . . Puymartin, ce soir-là, m'a raconté l'histoire de madame Scott . . . seulement ce n'était pas tout à fait† l'histoire de M. de Larnac. . . . Roger m'a dit que madame Scott avait été enlevée toute petite par des saltimbanques et que 10 son père l'avait retrouvée faisant de la voltige dans un cirque ambulant, bondissant par-dessus des banderoles et traversant des cerceaux de papier. . . .

— Une écuyère ? s'écria madame de Lavardens, j'aimais encore mieux la mendiante ! 15

— Et pendant que Roger me racontait ce roman du *Petit Journal*, je voyais venir, du fond d'une galerie, l'écuyère du cirque forain, dans un merveilleux fouillis de satin et de dentelles, et j'admirais ces épaules, ces éblouissantes épaules, sur lesquelles ondulait un collier de diamants gros comme des bouchons de 20 carafe. On disait que le ministre des finances avait vendu secrètement à madame Scott la moitié des diamants de la couronne et que c'était ainsi qu'il avait eu, le mois précédent, quinze millions d'excédent sur le budget. Ajoutez à cela, s'il vous plaît, qu'elle avait fort grand air, la petite saltimbanque, et 25 qu'elle était tout à fait à son aise dans ces splendeurs.

Paul était si bien lancé, que sa mère dut l'arrêter. Devant M. de Larnac fort dépité, il laissait trop naïvement éclater sa satisfaction d'avoir pour voisine cette miraculeuse Américaine.

L'abbé Constantin se préparait à reprendre le chemin de 30 Longueval ; mais Paul, en le voyant sur le point de partir :

— Oh ! non, non, monsieur l'abbé, vous n'allez pas faire une seconde fois à pied, par une telle chaleur, la route de Longueval.

Permettez-moi de vous reconduire en voiture. Cela me fait beaucoup de peine de vous voir ainsi dans le chagrin. Je veux essayer de vous distraire. Oh ! vous avez beau† être un saint, je vous fais rire quelquefois avec mes folies.

Une demi-heure après, tous deux, le curé et Paul, roulaient côte† à côte dans la direction du village. Paul parlait, parlait, parlait ! Sa mère n'était plus là pour le calmer et pour le modérer. Sa joie était débordante.

— Non, voyez-vous, monsieur l'abbé, vous avez† tort de prendre les choses au tragique. . . . Tenez,† regardez ma petite jument, comme elle trotte ! comme elle lève les pattes ! Vous ne la connaissiez pas. Savez-vous ce que je l'ai payée ? Quatre cents francs. Je l'ai dénichée il y a† quinze† jours, dans les brancards d'une charrette de maraîcher. Une fois que c'est bien dans son train, ça vous fait quatre lieues à l'heure, et on en a plein les mains, tout le temps. Regardez, regardez donc comme elle tire ! comme elle tire ! . . . Allons ! tôt ! tôt ! tôt ! . . . Rien ne vous presse, n'est-ce pas, monsieur l'abbé ? Voulez-vous rentrer par les bois ? Ça vous fera du bien de prendre un peu l'air. . . . Si vous saviez, monsieur l'abbé, comme j'ai de l'affection pour vous . . . et du respect ! . . . Je n'ai pas dit trop de bêtises, tout à l'heure,† devant vous ? C'est que je serais si fâché ! . . .

— Non, mon enfant, je n'ai rien entendu.

— Alors nous prenons le chemin† des écoliers.

Après s'être jeté à gauche, sous bois, Paul revint à sa première phrase :

— Je vous disais donc, monsieur l'abbé, que vous aviez tort† de prendre ainsi les choses tragiquement. Voulez-vous que je vous dise ce que je pense ? C'est très heureux ce qui vient† d'arriver.

— Très heureux ?

— Oui, très heureux. . . . J'aime mieux les Scott à Longueval que les Gallard. Ne l'avez-vous pas entendu tout à l'heure,†

M. de Larnac, oser leur reprocher de dépenser follement leur argent? Il n'est jamais fou de dépenser son argent. Ce qui est fou, c'est de le garder. Vos pauvres, — car j'en suis bien sûr, c'est surtout à vos pauvres que vous pensez,† — eh bien, vos pauvres ont fait aujourd'hui une bonne journée. Voilà mon opinion. La religion? . . . oui, la religion. . . . Ils n'iront pas à la messe! . . . cela vous fait du chagrin, c'est tout naturel, mais ils vous enverront de l'argent, beaucoup d'argent . . . et vous le prendrez, et vous aurez bien raison.† Vous voyez bien que vous ne dites pas non. Ça va être une pluie d'or sur tout le pays. . . . Un mouvement! un tapage! des voitures à quatre chevaux, des postillons poudrés, des *rallye-papers*, des chasses à courre, des bals, des feux d'artifice. . . . Et là, dans ce bois, dans cette allée où nous sommes, je retrouverai peut-être Paris avant qu'il soit longtemps. J'y reverrai les deux amazones et les deux petits grooms dont je parlais tout à l'heure.† Si vous saviez comme elles sont gentilles à cheval, les deux sœurs! Un matin, j'ai fait, derrière elles, tout le tour du bois de Boulogne, à Paris. Je les vois encore. Elles avaient des chapeaux gris à haute forme, de petits voiles noirs bien plaqués sur la figure et deux grandes amazones sans taille, avec une seule couture qui suivait la ligne du dos . . . et il faut que des femmes soient fièrement bien faites pour porter des amazones comme ça! . . . Parce que, voyez-vous, monsieur l'abbé, avec les amazones sans taille, il n'y a pas de tricherie possible. . . .

Le curé, depuis quelques instants, ne donnait plus aucune attention aux discours de Paul. La voiture était engagée dans une allée assez longue et parfaitement droite. Au bout de cette allée, le curé voyait venir un cavalier au galop.

— Regardez donc, dit le curé à Paul, regardez donc. Vous avez de meilleurs yeux que moi. Est-ce que ce n'est pas Jean, là-bas?

— Mais oui, c'est Jean. Je reconnais sa jument grise.

Paul aimait les chevaux et, toujours, avant de regarder le cavalier, regardait le cheval. En effet, c'était Jean ; et, en apercevant de loin† le curé et Paul, il agita en l'air son képi, qui portait deux galons d'or. Jean était lieutenant au régiment d'artillerie
5 en garnison à Souvigny.

Quelques instants après, il s'arrêtait près de la petite voiture, et, s'adressant au curé :

— Je viens de chez vous, mon parrain, et Pauline m'a dit que vous étiez allé à Souvigny, pour la vente. Eh bien,† qui l'a
10 acheté, le château ?

— Une Américaine, madame Scott.

— Et Blanche-Couronne ?

— La même madame Scott.

— Et la Rozeraie ?

15 — Encore madame Scott.

— Et la forêt . . . toujours madame Scott ?

— Tu l'as dit,† répliqua Paul. . . . Et je la connais, madame Scott . . . et on va s'amuser à Longueval. . . . Je te présenterai. . . . Seulement ça fait de la peine† à M. l'abbé . . . parce
20 que c'est une Américaine, une protestante.

— Ah ! c'est vrai, mon pauvre parrain. . . . Enfin nous causerons de tout cela demain. J'irai dîner avec vous, j'ai prévenu Pauline. Je n'ai pas le temps de m'arrêter, je suis de semaine,† et il faut que je sois au quartier à trois heures.

25 — Pour la botte ? dit Paul.

— Oui, pour la botte. . . . Au revoir, Paul ! . . . A demain, mon parrain !

Le lieutenant d'artillerie reprit le galop ; Paul rendit la main à son petit cheval.

30 — Ce Jean, dit Paul, quel brave garçon !

— Oh ! oui.

— Il n'y a rien de meilleur au monde que Jean !

— Non, rien de meilleur !

Le curé se retourna pour voir encore Jean, qui se perdait déjà dans la profondeur du bois.

— Oh ! si, il y a vous, monsieur l'abbé.

— Non, pas moi, pas moi.

— Eh bien, voulez-vous que je vous dise, monsieur l'abbé ? il n'y a rien de meilleur au monde que vous deux, vous et Jean. La voilà, la vérité ! . . . Oh ! tenez, le bon terrain pour trotter ! Je vais laisser marcher Niniche. . . . Je l'ai appelée Niniche.

Paul, de la pointe de son fouet, caressa le flanc de Niniche, qui se mit† à trotter d'un train d'enfer,† et Paul, tout joyeux :

— Mais regardez donc comme elle lève les pattes, monsieur l'abbé ! regardez donc comme elle lève les pattes ! Et si régulière ! . . . Une vraie mécanique. . . . Penchez-vous pour voir.

L'abbé, pour faire plaisir à Paul, se pencha un peu pour voir *comme Niniche levait les pattes*. . . . Mais il pensait† à autre chose.

II

Ce lieutenant d'artillerie s'appelait Jean Reynaud. C'était le fils du médecin de campagne qui reposait dans le cimetière de Longueval. Lorsque l'abbé Constantin vint prendre, en 1846, possession de sa petite cure, un docteur Reynaud, le grand-père de Jean, était installé dans une riante maisonnette, sur la route de Souvigny, entre les deux châteaux de Longueval et de Lavardens.

Marcel, le fils de ce docteur Reynaud, terminait à Paris ses études de médecine. C'était un grand travailleur, d'une rare distinction d'esprit. Il fut reçu le premier au concours d'agrégation. Il était résolu à rester à Paris à y tenter la fortune . . . et tout déjà lui promettait la plus heureuse et la plus brillante carrière, quand il reçut, en 1852, la nouvelle de la mort de son père, frappé d'une attaque d'apoplexie. Marcel accourut à Longueval, le cœur déchiré. Il adorait son père. Il passa un mois auprès de sa mère, et, au bout de ce temps, parla de la nécessité de son retour à Paris.

— C'est vrai, lui dit-elle, il faut que tu partes.

— Comment ! que je parte ? . . . Que nous partions. Est-ce que tu crois que je vais te laisser ici toute seule ? . . . Je t'emmène.

— Aller vivre à Paris ! . . . Quitter ce pays où je suis née, où ton père a vécu, où il est mort ! . . . Jamais je ne pourrai, mon enfant, jamais ! Pars seul, puisque ta vie et ton avenir sont là-bas. Je te connais. Je sais que tu ne m'oublieras pas, que tu viendras me voir souvent, très souvent.

— Non, ma mère, répondit-il, je resterai.

Il resta. . . . Ses espérances, ses ambitions, tout, en une minute, s'évanouit, disparut. . . . Il ne vit plus qu'une chose : le devoir, qui était de ne pas abandonner sa mère âgée et souffrante. Dans ce devoir simplement accepté et simplement accompli, il trouva le bonheur. D'ailleurs, au bout du compte,† ce n'est guère† que dans le devoir que se trouve le bonheur.

Marcel se plia de bonne grâce et de bon cœur† à son existence nouvelle. Il continua la vie de son père, reprenant le sillon à la place même où celui-ci l'avait quitté. . . . Il se donna tout entier, sans regrets et sans arrière-pensée, à cette obscure profession de médecin de village. Son père lui avait laissé un peu d'argent, un peu de terre. Il vivait le plus simplement du monde, et la moitié de sa vie appartenait aux pauvres gens, de qui jamais il ne voulut recevoir un sou. C'était son seul luxe.

Une jeune fille se trouva sur son chemin, sans fortune, charmante et seule au monde. Il l'épousa. Cela se passait en 1855, et l'année suivante réservait au docteur Reynaud une grande douleur et une grande joie : la mort de sa vieille mère et la naissance de son fils Jean.

A six semaines d'intervalle, l'abbé Constantin récita les prières des morts sur la tombe de la grand'mère et assista, en qualité† de parrain, au baptême du petit-fils.

A force† de se rencontrer au chevet de ceux qui souffraient et de ceux qui mouraient, le prêtre et le médecin, du même cœur et du même mouvement, avaient été attirés et portés l'un vers l'autre. Ils s'étaient sentis de la même famille, de la même race, de la race des tendres, des justes et des bienfaisants.

Les années succédèrent aux années, calmes, douces, tranquilles, dans les pleines satisfactions du travail et du devoir. Jean grandissait. . . . Il prit avec son père ses premières leçons d'orthographe, avec le curé ses premières leçons de latin. Jean était intelligent et laborieux ; il fit de tels progrès, que les deux professeurs — le curé surtout — se trouvèrent, au bout de quelques

années, un peu embarrassés. Leur élève devenait beaucoup trop fort pour eux. C'est à ce moment que la comtesse, après la mort de son mari, vint s'établir à Lavardens. Elle amenait un précepteur pour son fils Paul, lequel était un très gentil, mais
5 très paresseux petit bonhomme. Les deux enfants étaient du même âge ; ils se connaissaient depuis leurs plus jeunes années.

Madame de Lavardens aimait beaucoup le docteur Reynaud ; elle lui fit un jour une proposition :

— Envoyez-moi Jean tous les matins, lui dit-elle, je vous le
10 renverrai tous les soirs. Le précepteur de Paul est un jeune homme très distingué ; il fera travailler nos deux enfants. . . . Tout sera pour le mieux. Jean donnera le bon exemple à Paul.

Les choses furent ainsi réglées ; et le petit bourgeois donna, en effet, au petit gentilhomme d'excellents exemples de travail et
15 d'application ; mais ces excellents exemples ne furent pas suivis.

La guerre éclata. Le 14 novembre, à sept heures du matin, les mobilisés de Souvigny se réunissaient sur la grande place de la ville ; ils avaient pour aumônier l'abbé Constantin, pour chirurgien-major le docteur Reynaud. La même idée leur était
20 venue en même temps à tous les deux ; le prêtre avait soixante-deux ans, et le médecin cinquante.

Le bataillon, au départ, suivit la route qui traversait Longueval et qui passait devant la maison du docteur. Madame Reynaud et Jean attendaient sur le bord du chemin. L'enfant se jeta dans
25 les bras de son père : « Emmène-moi, papa, emmène-moi ! » Madame Reynaud pleurait. Le docteur les embrassa longuement tous les deux, puis il continua son chemin.

La route, à cent pas de là, faisait un coude. Le docteur se retourna, jeta sur sa femme et sur son fils un long regard . . .
30 le dernier ! Il ne devait plus les revoir.

Le 8 janvier 1871, les mobilisés de Souvigny attaquaient le village de Villersexel occupé par les Prussiens, qui avaient crénelé les murs et s'étaient barricadés dans les maisons. La fusillade éclata. Un mobilisé qui marchait au premier rang reçut une balle en pleine poitrine et tomba. Il y eut un moment de trouble et d'hésitation. « En avant† ! en avant ! » crièrent les officiers. Les hommes passèrent par-dessus le corps de leur camarade, et, sous une grêle de balles, entrèrent dans le village.

Le docteur Reynaud et l'abbé Constantin marchaient avec les troupes. Ils s'arrêtèrent près du blessé. Le sang lui sortait à flots par la bouche.

— Rien à faire, dit le docteur ; il se meurt, il est à vous.

Le prêtre s'agenouilla près du mourant et le docteur, se relevant, s'en alla du côté† du village. Il n'avait pas fait dix pas, qu'il s'arrêtait, battait l'air de ses deux bras et tombait d'un seul coup par terre. Le prêtre courut à lui. Il était mort, tué net par une balle dans la tempe.

Le soir, le village était à nous, et, le lendemain, on déposait dans le cimetière de Villersexel le corps du docteur Reynaud. Deux mois après, l'abbé Constantin ramenait à Longueval le cercueil de son ami, et derrière ce cercueil, à la sortie de l'église, marchait un orphelin. Jean avait aussi perdu sa mère. A la nouvelle de la mort de son mari, elle était restée pendant vingt-quatre heures anéantie, écrasée, sans une parole, sans une larme. Puis la fièvre l'avait prise, puis le délire, puis, au bout de quinze jours, la mort.

Jean se trouvait seul au monde. Il avait quatorze ans. De cette famille, où tous, depuis un siècle, avaient été bons et honnêtes, il ne restait plus qu'un enfant agenouillé sur une tombe et qui promettait, lui aussi, d'être ce qu'avait été son grand-père et ce qu'avait été son père, honnête et bon. Il y a de ces familles-là, en France, et beaucoup, et beaucoup plus qu'on n'ose le dire ; notre pauvre pays est en bien des points cruellement calomnié par certains romanciers, qui en font des peintures violentes et outrées. Il est vrai que l'histoire des braves gens est le plus souvent monotone ou douloureuse. Ce récit en est la preuve.

La douleur de Jean fut une douleur d'homme. Longtemps il resta triste et longtemps silencieux. Le soir de l'enterrement de son père, l'abbé Constantin l'emmena avec lui au presbytère. La journée avait été pluvieuse et froide. Jean s'était assis au coin du feu. Le prêtre lisait son bréviaire. La vieille Pauline allait et venait, rangeant. Une heure s'était passée sans une parole, lorsque Jean, tout à coup,† levant la tête :

— Mon parrain, dit-il, mon père m'a laissé de l'argent ?

Cette question était tellement étrange, que l'abbé, stupéfait, crut avoir mal entendu.

— Tu me demandes si ton père ?

— Je vous demande, mon parrain, si mon père m'a laissé de l'argent ?

— Oui, il a dû te laisser de l'argent. . . .

— Beaucoup, n'est-ce pas ? J'ai souvent entendu dire dans le pays que mon père était riche. Dites-moi à peu près† ce qu'il a dû me laisser.

— Mais je ne sais. . . . Tu me demandes là des choses. . . .

Le pauvre prêtre se sentait l'âme déchirée. Une telle question dans un tel moment ! Il croyait cependant connaître le cœur de Jean, et, dans ce cœur, il ne devait pas y avoir place pour de semblables pensées.

— Je vous en prie, mon parrain, dites-le moi . . . , continua Jean doucement. Je vous expliquerai après pourquoi je vous demande cela.

— Et bien,† ton père avait, dit-on, deux ou trois cent mille francs.

— Et c'est beaucoup d'argent ?

— Oui, c'est beaucoup d'argent.

— Et tout cet argent est à moi ?

— Oui, tout cet argent est à toi.

— Ah ! tant mieux, parce que, le jour où mon père a été tué là-bas pendant la guerre, les Prussiens ont tué, en même temps† que lui, le fils d'une pauvre femme de Longueval . . . la mère Clément, vous savez ? Ils ont tué aussi le frère de Rosalie, avec qui je jouais quand j'étais tout petit. Et bien, puisque je suis riche et puisqu'elles sont pauvres, je veux partager avec la mère Clément et avec Rosalie l'argent que m'a laissé mon père. 5

En entendant ces paroles, le curé se leva, prit les deux mains de Jean et, l'attirant à lui, l'entoura de ses bras. La tête blanche vint s'appuyer sur la tête blonde. Deux grosses larmes se détachèrent des yeux du vieux prêtre, roulèrent lentement sur ses joues et vinrent se glisser dans les rides de son visage. 10

Cependant le curé dut expliquer à Jean que, s'il était le possesseur de l'héritage de son père, il n'avait pas encore le droit d'en disposer à son gré. Il allait avoir un conseil de famille, un tuteur.

— Vous, sans doute, mon parrain ? 15

— Non, pas moi, mon enfant, un prêtre n'a pas le droit d'exercer la tutelle. On choisira, je pense, M. Lenient, le notaire de Souvigny, qui était un des meilleurs amis de ton père. Tu lui parleras, tu lui diras ce que tu désires.

M. Lenient fut, en effet, désigné par le conseil de famille pour 20 remplir les fonctions de la tutelle. Les instances de Jean furent si vives et si touchantes, que le notaire consentit à prélever sur les revenus une somme de deux mille quatre cents francs, qui fut, tous les ans, jusqu'à la majorité de Jean, partagée entre la mère Clément et la petite Rosalie. 25

Madame de Lavardens, en cette circonstance, fut parfaite. Elle alla trouver l'abbé Constantin :

— Donnez-moi Jean, lui dit-elle, donnez-le-moi tout à fait jusqu'à la fin de ses études. Je vous le ramènerai tous les ans, pendant les vacances. Ce n'est pas un service que je vous 30 rendrai, c'est un service que je vous demande. Je ne peux rien souhaiter de plus heureux pour mon fils. Je me résigne à abandonner momentanément Lavardens ; Paul veut se faire soldat, entrer à Saint-Cyr. Ce n'est qu'à Paris que je trouverai les maîtres et les ressources nécessaires. J'y conduirai les deux enfants ; ils seront élevés ensemble, sous mes yeux, fraternellement. Je ne ferai pas de différence entre eux, vous pouvez en être persuadé.

Il était difficile de ne pas accepter une telle proposition. Le vieux curé aurait bien voulu pouvoir garder Jean avec lui, et son cœur se déchirait à la pensée de cette séparation ; mais où était l'intérêt de l'enfant ? voilà ce qu'il fallait uniquement se demander. Le reste n'était rien. . . . On fit venir[†] Jean.

— Mon enfant, lui dit madame de Lavardens, veux-tu venir avec moi et avec Paul pendant quelques années ? Je vous emmènerai tous les deux à Paris.

— Vous êtes bien bonne, madame, mais j'aurais tant désiré pouvoir rester ici !

Il regardait le curé, qui détourna les yeux.

— Pourquoi partir ? continua-t-il, pourquoi nous emmener, Paul et moi ?

— Parce que ce n'est qu'à Paris que vous pourrez achever sérieusement et utilement vos études. Paul se préparera à ses examens de Saint-Cyr. Tu sais qu'il veut se faire soldat.

— Et moi aussi, madame, je veux l'être.

— Toi, soldat ? dit le curé, mais ce n'était pas dans les idées de ton père. . . . Bien souvent, en ma présence, ton père a parlé de ton avenir, de ta carrière. Tu devais être médecin, et, comme lui, médecin de campagne à Longueval . . . et, comme lui, assister les pauvres, et, comme lui, soigner les malades. Jean, mon enfant, souviens-toi.

— Je me souviens, je me souviens.

— Eh bien, alors, il faut faire ce que voulait ton père. . . . C'est ton devoir, Jean, c'est ton devoir. Il faut aller à Paris. Tu voudrais rester ici, oh ! cela, je le comprends . . . et moi aussi, je voudrais bien . . . mais cela ne se peut pas. . . . Il faut aller à Paris, travailler, bien travailler. Ce n'est pas là ce qui m'inquiète, tu es bien le fils de ton père. Tu seras un honnête homme et un homme laborieux. On n'est guère l'un sans l'autre. Et, un jour, dans la maison de ton père, à cette même place où il a fait tant de bien, les pauvres gens de ce pays retrouveront un autre docteur Reynaud qui, lui aussi, leur sera secourable. Et moi, si, par hasard,† je suis encore de ce monde, ce jour-là je serai si heureux, si heureux ! . . . Mais j'ai† tort de parler de moi. . . . Je ne devrais pas . . . je ne compte pas, moi. . . . C'est à ton père qu'il faut penser.† Je te le répète, Jean, c'était son vœu le plus cher. Tu ne peux pas l'avoir oublié.

— Non, je ne l'ai pas oublié ; mais, si mon père me voit et s'il m'entend, je suis sûr qu'il me comprend et qu'il me pardonne, car c'est à cause† de lui. . . .

— A cause de lui ?

— Oui, quand j'ai appris qu'il était mort et quand j'ai su comment il était mort, tout de suite,† sans avoir† besoin de réfléchir, je me suis dit que je serais soldat . . . et je serai soldat ! . . . Mon parrain, et vous, madame, je vous en prie, ne m'empêchez pas. . . .

L'enfant fondit en larmes, dans une véritable crise de désespoir. La comtesse et l'abbé l'apaisèrent avec de douces paroles.

— Oui . . . oui . . . c'est entendu . . . tout ce que tu voudras, tout ce que tu voudras. . . .

Tous deux avaient la même pensée : laissons† faire le temps. Jean n'est encore qu'un enfant ; il changera d'avis.† En quoi tous deux se trompaient : Jean ne changea pas d'avis.

Au mois de septembre 1876, Paul fut refusé à Saint-Cyr et Jean reçu le onzième à l'École polytechnique. Le jour où la liste des candidats admis fut publiée, il écrivit à l'abbé Constantin :

« Je suis reçu et trop bien reçu, car je veux sortir dans l'armée, et non dans les services civils. . . . Enfin, si je garde mon rang à l'École, cela fera l'affaire† d'un de mes camarades. Il aura ma place. »

Ce qui arriva. . . . Jean fit mieux que garder son rang. Le classement de sortie lui donna le numéro sept. . . . Mais, au lieu† d'entrer à l'École des ponts et chaussées, il entra à l'École d'application de Fontainebleau, en 1878. . . . Il venait† d'avoir vingt et un ans. Il était majeur, maître de sa fortune, et le premier acte de son administration fut une grosse, très grosse dépense. Il acheta, pour la mère Clément et pour la petite Rosalie devenue grande, deux titres de rente de quinze cents francs chacun. Cela lui coûta soixante-dix mille francs.

Deux ans après, Jean sortait le premier de l'École de Fontainebleau, ce qui lui donnait le droit de choisir parmi les places vacantes. Il y en avait une dans le régiment caserné à Souvigny ; et Souvigny était à trois kilomètres de Longueval. Jean demanda la place et l'obtint.

Voilà comment Jean Reynaud, lieutenant au 9e régiment d'artillerie, vint, au mois d'octobre 1880, reprendre possession de la maison du docteur Marcel Reynaud. Voilà comment il se retrouva dans ce pays, où s'était écoulée son enfance et où tout le monde avait gardé le souvenir de la vie et de la mort de son père. Voilà comment cette joie ne fut pas refusée à l'abbé Constantin de revoir le fils de son ami. . . . Et, s'il faut tout dire, il n'en voulait† plus à Jean de ne pas s'être fait médecin. Quand le vieux curé sortait de son église, après sa messe dite, quand il voyait flotter sur la route un nuage de poussière, quand il entendait trembler la terre, sous le roulement des canons . . . il s'arrêtait et, comme un enfant, prenait plaisir à voir passer le régiment. . . . Mais le régiment, pour lui, c'était Jean ! C'était ce robuste et solide cavalier, sur les traits duquel se lisaient ouvertement la droiture, le courage et la bonté.

Jean, du plus loin qu'il apercevait le curé, mettait son cheval au galop et venait causer un peu avec son parrain. Le cheval de

Jean tournait la tête vers le curé, car il savait bien qu'il y avait toujours un morceau de sucre pour lui dans la poche de cette vieille soutane noire, usée et rapiécée, la soutane du matin. L'abbé en avait une belle, toute neuve et qu'il ménageait . . . pour aller dans le monde . . . quand il allait dans le monde. 5

Les trompettes du régiment sonnaient pendant la traversée du village . . . et tous les regards cherchaient Jean, le petit Jean. Car, pour les vieux de Longueval, il était resté le *petit Jean*. Certain paysan tout ridé, tout cassé, n'avait jamais pu se défaire† de l'habitude de le saluer, quand il passait, d'un « Eh ! bonjour, 10 gamin, ça va bien ? » Il avait six pieds de haut, ce gamin.

Et Jean ne traversait jamais le village sans apercevoir, à deux fenêtres, la vieille figure parcheminée de la mère Clément et le visage souriant de Rosalie. Cette dernière, l'année précédente, s'était mariée. Jean avait été son témoin ; et joyeusement, le 15 soir de la noce, il avait dansé avec les fillettes de Longueval.

Tel était le lieutenant d'artillerie qui, le samedi 28 mai 1881, vers cinq heures de l'après-midi, mit† pied à terre devant la porte du presbytère de Longueval. Il entra ; son cheval docilement le suivit et alla de lui-même se placer sous un petit hangar 20 dans la cour. Pauline était à la fenêtre de la cuisine, au rez-de-chaussée. . . . Jean s'approcha et l'embrassa de tout son cœur, sur les deux joues.

— Bonjour, ma bonne Pauline, ça va bien ?

— Très bien. . . . Je m'occupe† de ton dîner. . . . Veux- 25 tu savoir ce que tu auras ? De la soupe aux pommes de terre, un gigot et des œufs† au lait. . . .

— C'est admirable ! J'adore tout cela et je meurs† de faim.

— Et de la salade que j'oubliais, même que tu m'aideras tout à l'heure† à la cueillir, la salade. On dînera à six heures et 30 demie, bien exactement, parce que ce soir, à sept heures et demie, M. le curé a son office du mois de Marie.

— Où est-il, mon parrain ?

— Dans le jardin. . . . Il est bien triste, M. le curé, à cause de cette vente d'hier.

— Oui, je sais, je sais. . . .

— Ça va le remonter un peu de te voir. Il est si content quand tu es là ! Prends garde, Loulou va manger les rosiers grimpants. . . . Comme il a† chaud, Loulou !

— J'ai fait le grand tour par les bois et j'ai marché vite.

Jean rattrapa Loulou, qui se dirigeait vers les rosiers grimpants ; il le débrida, le dessella, l'attacha sous le petit hangar, et, en un tour† de main, avec un gros paquet de paille, le bouchonna. Après quoi, Jean entra dans la maison, se débarrassa† de son sabre, remplaça son képi par un vieux chapeau de paille de cinq sous et s'en alla retrouver le curé dans le jardin.

Il était fort triste, en effet, le pauvre abbé. Il n'avait pas fermé l'œil de la nuit, lui qui, d'ordinaire,† dormait si facilement, si doucement, d'un bon sommeil d'enfant. Son âme était déchirée. Longueval, aux mains d'une étrangère, d'une hérétique, d'une aventurière ! Jean répétait ce que Paul avait dit la veille :

— Vous aurez de l'argent, beaucoup d'argent pour vos pauvres.

— De l'argent ! de l'argent ! . . . Oui, mes pauvres n'y perdront rien, ils y gagneront peut-être. . . . Mais, cet argent, il faudra que j'aille le demander, et, dans le salon, au lieu† de ma vieille et chère amie, je trouverai cette Américaine aux cheveux rouges, — il paraît qu'elle a des cheveux rouges ! — J'irai certainement pour mes pauvres, j'irai. . . . Et elle m'en donnera, de l'argent, mais elle ne me donnera que de l'argent. La marquise donnait autre chose. Elle donnait de sa vie et de son cœur. . . . Nous allions ensemble, chaque semaine, visiter les pauvres et les malades. Elle connaissait toutes les souffrances et toutes les misères du pays. Et, quand j'étais cloué par la goutte dans mon fauteuil, elle faisait la tournée toute seule, et aussi bien, et mieux que moi.

Pauline vint interrompre cette conversation. . . . Elle arrivait portant un immense saladier de faïence, où s'épanouissaient violentes et criardes, de grosses fleurs rouges.

— Me voilà, dit Pauline, je viens cueillir la salade. . . . Jean, veux-tu de la romaine ou de la petite chicorée ? 5

— De la petite chicorée, répondit Jean gaiement. . . . Il y a longtemps que je n'en ai mangé, de la petite chicorée.

— Eh bien, tu en auras ce soir. . . . Tiens, prends le saladier. . . .

Pauline se mit† à couper sa petite chicorée et Jean se penchait 10 pour recevoir les feuilles dans le grand saladier. Le curé les regardait faire.

En ce moment, un bruit de grelots se fit entendre. Une voiture approchait, qui sonnait un peu la ferraille. . . . Le jardinet de l'abbé Constantin n'était séparé de la route que par 15 une haie très basse, à hauteur d'appui,† au milieu de laquelle se trouvait une petite porte à claire-voie.

Tous les trois regardèrent et virent venir une calèche de louage de forme primitive, attelée de deux gros chevaux blancs et conduite par un vieux cocher en blouse. A côté de ce vieux cocher, 20 se tenait un grand domestique en livrée, de la plus sévère et de la plus parfaite correction. Dans la voiture deux jeunes femmes, portant toutes deux le même costume de voyage, très élégant, mais très simple.

Quand la voiture se trouva† devant la haie du jardin le cocher 25 arrêta les chevaux et, s'adressant à l'abbé :

— Monsieur le curé, dit-il, c'est des dames qui vous demandent.

Puis, se tournant vers ses clientes :

— Le voilà, ajouta-t-il, M. le curé de Longueval.

L'abbé Constantin s'était approché et avait ouvert sa petite 30 porte. Les voyageuses descendirent. Leurs regards s'arrêtèrent, non sans un peu d'étonnement, sur ce jeune officier qui se trouvait là, un peu empêtré, son chapeau de paille dans la main droite et dans la main gauche son grand saladier tout débordant de petite chicorée.

Les deux femmes entrèrent dans le jardin . . . et la plus âgée, — elle paraissait avoir vingt-cinq ans, — s'adressant à 5 l'abbé Constantin, lui dit avec un petit accent étranger, très original et très particulier :

— Je suis donc obligée, monsieur le curé, de me présenter moi-même ? . . . Madame Scott. Je suis madame Scott. C'est moi qui, hier, ai acheté le château . . . et la ferme . . . et le 10 reste tout autour. Je ne vous dérange pas, au moins,† et vous pouvez me donner cinq minutes ?

Puis, désignant sa compagne de voyage :

— Miss Bettina Percival . . . ma sœur, vous l'avez deviné, je pense ? . . . Nous nous ressemblons beaucoup, n'est-ce pas ? 15 . . . — Ah ! Bettina. . . . Nous avons oublié dans la voiture nos deux petits sacs . . . et nous en aurons besoin.

— Je vais† les prendre.

Et, comme miss Percival se préparait à aller chercher les deux petits sacs, Jean lui dit :

20 — Je vous en prie, mademoiselle, permettez-moi. . . .

— Je suis vraiment bien fâchée, monsieur, de vous donner cette peine. . . . Le domestique vous les remettra. . . . Ils sont sur la banquette de devant.

Elle avait le même accent que sa sœur, les mêmes grands 25 yeux noirs, riants et gais, et les mêmes cheveux, — non pas rouges, — mais blonds, avec des reflets dorés où délicatement se jouait la lumière du soleil. Elle salua Jean avec un joli sourire, et celui-ci ayant remis à Pauline le saladier de chicorée, s'en alla† chercher les deux petits sacs.

30 Pendant ce temps, très ému, très troublé, l'abbé Constantin introduisait dans le presbytère la nouvelle châtelaine de Longueval.

III

Ce n'était pas un palais, le presbytère de Longueval. La même pièce, au rez-de-chaussée, servait de salon et de salle à manger, communiquant directement avec la cuisine par une porte toujours grande ouverte ; cette pièce était garnie du mobilier le plus sommaire : deux vieux fauteuils, six chaises de paille, un dressoir, 5 une table ronde. Déjà, sur cette table, Pauline avait mis les deux couverts de l'abbé et de Jean.

Madame Scott et miss Percival allaient† et venaient, examinant avec une sorte de curiosité enfantine l'installation du curé.

— Mais le jardin, la maison, tout est charmant, disait madame 10 Scott.

Elles entrèrent toutes deux résolument dans la cuisine. L'abbé Constantin les suivait, suffoqué, stupéfait, effaré devant la brusquerie et la soudaineté de cette invasion américaine. La vieille Pauline, d'un air inquiet et sombre, regardait les deux étrangères. 15

— Les voilà donc, se disait-elle, ces hérétiques, ces damnées !

Et, de ses mains agitées, tremblantes, elle continuait machinalement à éplucher sa chicorée.

— Je vous fais tous mes compliments, mademoiselle, lui dit Bettina, votre petite cuisine est si bien tenue ! . . . Re- 20 gardez, Suzie, n'est-ce pas tout à fait le presbytère que vous désiriez ?

— Et aussi le curé, continua madame Scott. Ah ! oui, monsieur le curé, voulez-vous me laisser vous dire cela ? Si vous saviez comme je suis heureuse que vous soyez tel que vous êtes ! 25 . . . En chemin de fer, ce matin . . . — Bettina, qu'est-ce que je vous disais ? et encore tout à l'heure,† en voiture ?

— Ma sœur me disait, monsieur le curé, que ce qu'elle désirait par-dessus tout, c'était un curé pas jeune, pas triste, pas sévère, un curé à cheveux blancs, avec l'air bon et doux.

— Et vous êtes absolument ainsi, monsieur le curé, absolument. Non, nous ne pouvions pas trouver mieux. Excusez-moi, je vous en prie, de vous parler de la sorte. Les Parisiennes savent très bien tourner leurs phrases, d'une manière adroite et compliquée. Moi, je ne sais pas . . . et j'aurais, en parlant français, beaucoup de peine à me tirer d'affaire,[†] si je ne disais les choses tout simplement, tout bêtement, comme elles me viennent. Enfin, je suis contente, très contente, et j'espère que vous aussi, monsieur le curé, vous serez content, très content de vos nouvelles paroissiennes.

— Mes paroissiennes ! dit le curé, retrouvant la parole, le mouvement, la vie, toutes choses qui, depuis quelques minutes, l'avaient complètement abandonné. Mes paroissiennes ! Pardonnez-moi, madame, mademoiselle . . . j'ai une telle émotion ! Vous seriez . . . vous êtes catholiques ?

— Mais oui, nous sommes catholiques.

— Catholiques . . . catholiques ? répéta le curé.

— Catholiques . . . catholiques ! s'écria la vieille Pauline, qui apparut épanouie, radieuse, les bras au ciel, sur le seuil de sa cuisine.

Madame Scott regardait le curé, regardait Pauline, fort étonnée d'avoir avec un seul mot produit un tel effet. Et, pour compléter le tableau, Jean se montra, apportant les deux petits sacs de voyage. Le curé et Pauline le saluèrent de la même phrase :

— Catholiques ! catholiques !

— Ah ! je comprends, dit madame Scott en riant, c'est notre nom, notre pays ! Vous avez cru que nous étions protestantes. Pas du tout[†] ; notre mère était une Canadienne d'origine française et catholique ; voilà pourquoi, ma sœur et moi, nous parlons français, avec un peu d'accent, sans doute, et avec certaines formules américaines, mais enfin de manière[†] à dire à peu près[†] tout ce que nous voulons dire. Mon mari est protestant, mais il me laisse une entière liberté, et mes deux enfants sont catholiques. C'est pour cela, monsieur l'abbé, que nous avons voulu, dès le premier jour, venir vous voir.

— Pour cela, continua Bettina . . . et pour autre chose. . . . Mais, pour cette autre chose, nos petits sacs sont tout à fait nécessaires.

— Les voici, mademoiselle, répondit Jean.

— Celui-ci est le mien.

— Et voici le mien.

Pendant que les petits sacs passaient des mains de l'officier aux mains de madame Scott et de Bettina, le curé présentait Jean aux deux Américaines; mais il était encore dans un tel émoi que la présentation ne fut pas tout[†] à fait dans les règles. Le curé n'oublia guère qu'une chose, et une chose fort essentielle dans une présentation: le nom de famille de Jean.

— C'est Jean, dit-il, mon filleul, lieutenant au régiment d'artillerie en garnison à Souvigny. Il est[†] de la maison.

Jean fit deux grands saluts; les Américaines deux petits; après quoi, elles se mirent[†] à fourrager dans leurs sacs et en retirèrent chacune un rouleau de mille francs, gentiment enfermé dans des étuis verts en peau de serpent cerclés d'or.

— Je vous apportais ceci pour vos pauvres, monsieur le curé, dit madame Scott.

— Et moi ceci, dit Bettina.

Délicatement elles glissèrent leur offrande dans la main droite et dans la main gauche du vieux curé, et celui-ci, regardant alternativement sa main droite et sa main gauche, se disait:

— Qu'est-ce que c'est que ces deux petites choses-là? C'est bien lourd. Il doit y avoir de l'or là dedans. . . . Oui, mais combien? combien?

Il avait soixante-douze ans, l'abbé Constantin, et beaucoup d'argent lui avait passé par les mains, pour n'y pas rester longtemps, il est vrai ; mais cet argent lui était venu par petites sommes, et le soupçon d'une telle offrande ne pouvait lui entrer 5 dans la tête. Deux mille francs ! Jamais il n'avait eu deux mille francs en sa possession, ni même jamais mille.

Donc, ne sachant pas ce qu'on lui donnait, le curé ne savait comment remercier. Il balbutiait :

— Je vous suis bien reconnaissant, madame ; vous êtes bien 10 bonne, mademoiselle.

Enfin il ne remerciait pas assez. Jean crut devoir intervenir.

— Mon parrain, ces dames viennent† de vous donner deux mille francs.

Alors, saisi d'émotion et de reconnaissance, le curé s'écria :

15 — Deux mille francs ! deux mille francs pour mes pauvres !

Pauline fit brusquement une nouvelle apparition.

— Deux mille francs ! deux mille francs !

— Il paraît, dit le curé, il paraît. . . . Tenez, Pauline, serrez cet argent et faites† attention. . . .

20 Elle était bien des choses au logis, la vieille Pauline, servante, cuisinière, pharmacienne, trésorière. Ses mains reçurent avec un tremblement respectueux ces deux petits rouleaux d'or qui représentaient tant de misères adoucies, tant de douleurs diminuées.

— Ce n'est pas tout, monsieur le curé, dit madame Scott, je 25 vous donnerai cinq cents francs tous les mois.

— Et je ferai comme ma sœur.

— Mille francs par mois ! Mais alors il n'y aura plus de pauvres dans le pays.

— C'est bien ce que nous désirons. Je suis riche, très riche 30 . . . et ma sœur aussi ! elle est même plus riche que moi . . . parce qu'une jeune fille a de la peine à beaucoup dépenser . . . tandis que moi . . . Ah ! moi ! . . . tout ce que je peux, je dépense tout ce que je peux ! Quand on a beaucoup d'argent, quand on a trop d'argent, quand on en a plus que cela n'est juste, dites, monsieur l'abbé, pour se le faire pardonner, y a-t-il d'autre moyen que de toujours avoir les mains grandes ouvertes et de donner, de donner, de donner le plus possible et le mieux possible ? D'ailleurs, vous aussi, vous allez me donner quelque chose.

Et, s'adressant à Pauline :

— Vous seriez bien bonne, mademoiselle, de m'apporter un verre d'eau fraîche. Non, pas autre chose . . . un verre d'eau fraîche . . . je meurs de soif.

— Et moi, dit en riant Bettina, pendant que Pauline courait chercher le verre d'eau, je meurs d'autre chose, c'est de faim que je meurs. . . . Monsieur le curé . . . cela, je le sais, est affreusement indiscret. . . . Mais je vois que votre couvert† est mis. . . . Est-ce que vous ne pourriez pas nous inviter à dîner ?

— Bettina ! dit madame Scott.

— Laissez† donc, Suzie, laissez donc. . . . N'est ce pas, monsieur le curé, vous voulez† bien ?

Mais il ne trouvait rien à répondre, le vieux curé. Il ne savait plus du tout, plus du tout où il en était.† Elles prenaient d'assaut son presbytère ! Elles étaient catholiques ! Elles lui apportaient deux mille francs ! Elles lui promettaient mille francs tous les mois ! Et elles voulaient dîner chez lui ! Ah ! cela, c'était le dernier coup ! l'épouvante le prenait à la pensée d'avoir à faire les honneurs de son gigot et de ses œufs au lait à ces deux Américaines follement riches, qui devaient se nourrir de choses extraordinaires, fantastiques, inusitées. Il murmurait :

— A dîner ! . . . à dîner ! . . . vous voudriez dîner ici ?

Jean dut encore une fois intervenir.

— Mon parrain sera trop heureux, dit-il, si vous voulez† bien accepter ; seulement, je vois ce qui l'inquiète. . . . Nous devions dîner ensemble, tous les deux, et il ne faut pas, mesdames, vous attendre† à un festin. . . . Enfin vous serez indulgentes.

— Oui, oui, très indulgentes, répondit Bettina.

Puis, s'adressant à sa sœur :

— Voyons, Suzie, ne faites pas la moue parce que j'ai été un peu . . . vous savez bien que c'est mon habitude d'être un peu . . . Restons, voulez-vous ? Cela nous reposera de passer une heure ici bien tranquillement. Nous avons eu une telle journée en chemin de fer . . . en voiture . . . dans la poussière . . . dans la chaleur ! . . . Nous avons fait un si affreux déjeuner ce matin dans un si affreux hôtel ! . . . Nous devions retourner dîner, à sept heures, dans ce même hôtel, pour reprendre, ensuite, le train de Paris. . . . Mais dîner ici sera réellement plus gentil. Vous ne dites plus non. . . . Ah ! que vous êtes bonne, ma Suzie !

Elle embrassa sa sœur très câlinement, très tendrement ; puis, se tournant vers le curé :

— Si vous saviez, monsieur le curé, comme elle est bonne !

— Bettina ! Bettina !

— Allons, dit Jean, vite, Pauline ! deux couverts. Je vais t'aider.

— Et moi aussi, s'écria Bettina, moi aussi, je vais vous aider. Oh ! je vous en prie, cela m'amusera tant ! — Seulement, monsieur le curé, vous me permettrez de faire un peu comme chez moi.

Lestement elle ôta son manteau d'abord, et Jean put admirer, dans son exquise perfection, une taille merveilleuse de souplesse et de grâce.

Miss Percival ensuite enleva son chapeau, mais avec un peu trop de hâte ; car ce fut le signal d'une ravissante débâcle. Toute une avalanche s'échappa et se répandit, par torrents, en longues cascades, sur les épaules de Bettina ; elle se trouvait alors devant une fenêtre par où entraient à flots les rayons du soleil . . . et cette lumière d'or, venant frapper en plein† sur cette chevelure d'or, mettait dans un encadrement délicieux l'éclatante beauté de la jeune fille. Confuse et rougissante, Bettina dut appeler sa sœur à son secours et madame Scott eut beaucoup de peine à remettre un peu d'ordre dans ce désordre.

Lorsque la catastrophe fut enfin réparée, rien ne put empêcher Bettina de se précipiter sur les assiettes, les couteaux et les fourchettes.

— Mais, monsieur, disait-elle à Jean, je sais très bien mettre le couvert.† Demandez à ma sœur. . . . — Dites, Suzie, quand j'étais petite, à New-York, est-ce que je ne mettais pas très bien le couvert ?

— Oui, très bien, répondit madame Scott.

Et elle aussi, tout† en priant le curé d'excuser l'indiscrétion de Bettina, elle aussi ôta son chapeau et son manteau, si bien† que Jean eut encore une fois le très agréable spectacle d'une taille charmante et de cheveux admirables. Mais la débâcle, et Jean le regretta, n'eut pas de seconde représentation.

Quelques minutes après, madame Scott, miss Percival, le curé et Jean prenaient place autour de la petite table du presbytère ; puis, très rapidement, grâce à la surprise et à l'originalité de la rencontre, grâce surtout à la belle humeur et à l'enjouement quelque peu audacieux de Bettina, la conversation prenait le tour de la plus franche et de la plus cordiale familiarité.

— Vous allez voir, monsieur le curé, dit Bettina, vous allez voir si j'ai menti, si je ne mourais pas de faim. Je vous préviens que je vais dévorer. Je ne me suis jamais mise à table† avec tant de plaisir. Ce dîner va si bien finir notre journée ! Nous sommes tellement contentes, ma sœur et moi, d'avoir ce château, ces fermes, cette forêt !

— Et d'avoir tout cela, continua madame Scott, d'une façon si extraordinaire, si imprévue. Nous nous y attendions† si peu !

— Vous pouvez bien dire, Suzie, que nous ne nous y attendions† pas du tout. . . . Sachez, monsieur l'abbé, que c'était hier la fête de ma sœur. . . . — Mais, d'abord, pardon . . . monsieur . . . monsieur Jean, n'est-ce pas ?

— Oui, mademoiselle, monsieur Jean.

— Eh bien, monsieur Jean, encore un peu de cette soupe excellente, je vous en prie.

L'abbé Constantin commençait à se remettre, à se retrouver; mais il était, cependant, encore trop ému pour accomplir correctement ses devoirs de maître de maison; c'était Jean qui avait pris le gouvernement du modeste dîner de son parrain. Il remplit donc jusqu'aux bords l'assiette de cette ravissante Américaine, qui fixait résolument sur lui le regard de deux grands yeux, où étincelaient la franchise, la hardiesse et la gaieté. Les yeux de Jean, d'ailleurs, payaient miss Percival de la même monnaie. Il n'y avait pas trois quarts d'heure que, dans le jardin du curé, la jeune Américaine et le jeune officier, pour la première fois, s'étaient adressé la parole, et tous deux déjà se sentaient, vis-à-vis l'un de l'autre, parfaitement à l'aise,[†] pleinement en confiance, presque en camaraderie.

— Je vous disais, monsieur le curé, reprit Bettina, que c'était hier la fête de ma sœur, sa fête de naissance. Mon beau-frère, il y a huit jours, avait été obligé de partir pour l'Amérique; mais, en s'en allant,[†] il avait dit à ma sœur: « Je ne serai pas ici le jour de votre fête, vous aurez cependant de mes nouvelles. » Hier donc, il arriva des cadeaux et des bouquets un peu de partout; mais de mon beau-frère, jusqu'à cinq heures, rien . . . rien. Nous allons faire toutes les deux un tour au bois à cheval . . . et, à propos[†] de cheval . . .

Elle s'arrêta et, se penchant un peu de côté, regarda curieusement les grandes bottes poudreuses de Jean, puis elle s'écria:

— Mais, monsieur, vous avez des éperons?

— Oui, mademoiselle.

— Vous êtes dans la cavalerie?

— Je suis dans l'artillerie, mademoiselle, et l'artillerie, c'est de la cavalerie.

— Et votre régiment est en garnison? . . .

— Tout près d'ici.

— Mais alors vous monterez[†] à cheval avec nous ?

— Avec le plus grand plaisir, mademoiselle.

— C'est dit.[†] Voyons,[†] où en étais[†]-je ?

— Vous ne savez pas du tout, Bettina, où vous en êtes, et vous racontez à ces messieurs des choses qui ne peuvent les intéresser.

— Oh ! je vous demande pardon, madame, dit le curé. La vente de ce château, — il n'est question que de cela dans le pays en ce moment, — et le récit de mademoiselle nous intéresse beaucoup.

— Vous voyez, Suzie, mon récit intéresse beaucoup M. le curé. . . . Donc je continue. Nous sortons à cheval, nous rentrons à sept heures, rien. . . . Nous dînons et, au moment ou nous sortions de table,[†] arrive une dépêche d'Amérique, deux lignes seulement : « J'ai fait acheter pour vous aujourd'hui, et en votre nom, le château et le domaine de Longueval, près de Souvigny, sur la ligne du Nord. » Alors nous avons été prises, toutes les deux,[†] d'un rire fou, à la pensée. . . .

— Non, non, Bettina, cela n'est pas exact. Vous nous calomniez toutes les deux. Nous avons été prises d'abord d'un bien sincère mouvement d'émotion et de reconnaissance. Nous aimons beaucoup la campagne, ma sœur et moi. Mon mari, qui est excellent, savait que nous désirions très vivement avoir une terre en France. Depuis six mois, il cherchait et ne trouvait rien. Enfin, et sans nous le dire, il avait découvert ce château, qui se vendait précisément le jour de ma fête. . . . C'était une attention très délicate.

— Oui, Suzie, vous avez raison ; mais, après le petit accès d'émotion, il y a eu un grand accès de gaieté.

— Cela, je le reconnais. . . . Quand nous avons fait cette réflexion que nous nous trouvions brusquement, toutes les deux — car ce qui est à l'une est à l'autre — propriétaires d'un château, sans savoir où se trouvait† ce château, comment il était fait et combien il avait coûté, cela ressemblait tellement à un conte de fées. . . .

— Enfin, pendant cinq bonnes minutes, de tout notre cœur, nous avons ri. . . . Puis nous nous sommes jetées sur une carte de France, et nous avons réussi, non sans peine, à y déterrer Souvigny. Après l'atlas, ce fut le tour d'un indicateur des chemins de fer et ce matin par l'express, à dix heures, nous débarquions à Souvigny.

— Nous avons passé toute notre journée à visiter le château, les écuries, les fermes. Nous n'avons pas tout vu, car c'est immense . . . mais nous sommes ravies de tout ce que nous avons vu. Seulement, monsieur le curé, il y a quelque chose qui m'intrigue. Je sais que le domaine a été vendu hier publiquement. . . . Tout le long† de la route, j'ai vu les grandes affiches. . . . Mais aux personnes, régisseurs et fermiers, qui m'ont accompagnée dans ma promenade, je n'ai pas osé demander, — tant mon ignorance aurait paru folle ! — combien tout cela m'avait coûté. Mon mari, dans sa dépêche, a oublié de me le dire. . . . Du moment† que je suis enchantée de l'acquisition, ce n'est qu'un détail ; mais je ne serais pas fâchée cependant d'apprendre. . . .

— Dites, monsieur le curé, si vous le savez, dites-moi le prix.

— Un prix énorme, répondit le curé, car bien des espérances et bien des ambitions s'agitaient autour de Longueval.

— Un prix énorme ! Vous me faites peur.† . . . Combien exactement ?

— Trois millions !

— Seulement ! s'écria madame Scott ; le château, les fermes, la forêt, le tout pour trois millions !

— Oui, trois millions.

— Mais c'est pour rien, dit Bettina. Cette délicieuse petite rivière qui se promène dans le parc vaut, à elle seule, les trois millions.

— Et vous disiez tout à l'heure,† monsieur le curé, demanda madame Scott, vous disiez qu'il se trouvait† plusieurs personnes pour nous disputer les terres et le château ?

— Oui, madame.

— Et, devant ces personnes, après la vente, mon nom a-t-il été prononcé ? 5

— Oui, madame.

— Et, quand mon nom a été prononcé, y a-t-il eu là quelqu'un pour me connaître, pour parler de moi ? . . . Oui . . . oui. Votre silence me répond . . . on a parlé de moi. . . . Eh bien, 10 monsieur le curé, je deviens sérieuse, très sérieuse. . . . Je vous prie, en grâce, de me répéter ce qui a été dit de moi.

— Mais, madame, répondit le pauvre curé, qui était sur des charbons ardents, on a parlé de votre grande fortune. . . .

— Oui, on a dû parler de cela ; sans aucun doute, on a dû 15 dire que j'étais fort riche . . . et, depuis peu de temps . . . une parvenue . . . n'est-ce pas ? Très bien ; mais ce n'est pas tout, on a dû vous dire autre chose.

— Mais non, je n'ai rien entendu. . . .

— Oh ! monsieur le curé, vous faites là ce que vous appelez 20 un mensonge pieux . . . et je vous rends très malheureux ; car vous devez être la sincérité même. Mais, si je vous tourmente ainsi, c'est que j'ai grand intérêt à savoir ce qui s'est dit, ce que . . .

— Mon Dieu, madame, interrompit Jean, vous avez raison, on a dit autre chose, et mon parrain est un peu embarrassé pour le 25 répéter ; mais, puisque vous le voulez absolument, on a dit que vous étiez une des plus élégantes, des plus brillantes et des plus . . .

— Et des plus jolies femmes de Paris ? On a pu dire cela, — avec un peu d'indulgence on a pu le dire ; — mais ce n'est pas 30 tout encore. Il y a autre chose. . . .

— Ah ! par exemple† !

— Oui, il y a autre chose, et je voudrais avoir avec vous, à l'instant même, une explication bien nette, bien franche. Je ne sais pas . . . mais il me semble que j'ai eu la main† heureuse aujourd'hui . . . il me semble, — c'est peut-être un peu tôt pour dire ce mot-là, — mais il me semble que vous êtes déjà tous les deux un peu mes amis . . . et que vous le serez un jour tout à fait.† Eh bien, dites, s'il court sur mon compte† des histoires absurdes et fausses, n'ai-je pas raison de penser que vous m'aiderez à les démentir ?

— Oui, madame, répondit Jean avec une extrême vivacité, vous avez raison† de le penser.

— Eh bien, c'est à vous, monsieur, que je m'adresse. Vous êtes soldat . . . et c'est votre métier d'avoir du courage. . . . Promettez-moi d'être brave. . . . Me le promettez-vous ?

— Qu'entendez-vous, madame, par être brave ?

— Promettez . . . promettez sans explications, sans conditions.

— Eh bien, je le promets. . . .

— Vous allez donc répondre franchement, par oui et par non, aux questions que je vais vous adresser. . . .

— Je répondrai.

— Vous a-t-on dit que j'avais mendié dans les rues de New-York ?

— Oui, on me l'a dit.

— Et que j'avais été écuyère dans un cirque ambulant ?

— On me l'a dit, madame.

— A la bonne heure† ! . . . Voilà qui est parler. Eh bien, remarquez d'abord que, dans tout cela, il n'y aurait rien, rien du tout d'inavouable. . . . Mais, si cela n'est pas vrai, n'ai-je pas le droit de dire que cela n'est pas vrai ? Et cela n'est pas vrai. — Mon histoire . . . en peu de mots, je vais vous la raconter ; et, si je vous la raconte ainsi, dès le premier jour, c'est pour que vous ayez la bonté de la redire à tous ceux qui vous parleront de moi. . . . Je vais passer une partie de ma vie dans ce pays, je désire qu'on sache d'où je viens et ce que je suis. Je commence donc. Pauvre, oui, je l'ai été, et très pauvre. Il y a† de cela huit ans. . . . Mon père venait† de mourir, suivant d'assez près notre mère. J'avais, moi, dix-huit ans, et Bettina onze. Nous restions seules dans le monde avec de grosses dettes et un gros procès. La dernière parole de mon père avait été : « Suzie, pour le procès, ne transigez jamais, jamais, jamais ! . . . Des millions, mes enfants, vous aurez des millions ! » Il nous embrassa toutes les deux, Bettina et moi. . . . Le délire le prit et il mourut en répétant : « Des millions ! » Un homme† d'affaires se présenta, le lendemain, qui m'offrit de payer toutes les dettes et de me donner, en outre, dix mille dollars, si je lui abandonnais tous mes droits dans le procès. Il s'agissait† de la possession d'une grande étendue de terres dans le Colorado. . . . Je refusai. C'est alors que, pendant quelques mois, nous avons été très pauvres.

— Et c'est alors, dit Bettina, que je mettais† le couvert.

— Je passais ma vie chez les solicitors de New-York . . . mais personne ne voulait se charger† de mes intérêts. C'était partout la même réponse : « Votre cause est très douteuse, vous avez des adversaires riches et redoutables, il faut de l'argent, beaucoup d'argent pour aller au bout† de votre procès . . . et vous n'avez plus rien. . . . On vous offre, vos dettes payées, dix mille dollars, acceptez, vendez votre procès. » Mais, moi, j'avais toujours dans l'oreille les derniers mots de mon père, et je ne voulais pas. . . . La misère, cependant, allait† bien m'y contraindre, quand, un jour, je tentai une démarche près d'un des amis de mon père, un banquier de New-York, M. William Scott. Il n'était pas seul ; un jeune homme était assis dans son cabinet, près de son bureau. « Vous pouvez parler, me dit-il, c'est mon fils Richard Scott. » Je regarde ce jeune homme, il me regarde, et nous nous reconnaissons. . . . « Suzie ! — Richard ! » Il me tend la main. Il avait vingt-trois ans, et moi dix-huit, je vous l'ai dit. Bien souvent, autrefois, enfants tous les deux, nous avions joué ensemble. Nous étions alors grands amis. Puis, sept ou huit ans auparavant, il était parti pour achever son éducation en France et en Angleterre. Son père me fait asseoir et me demande ce qui m'amène. . . . Je le lui dis. . . . Il m'écoute et me répond : « Vous auriez besoin de vingt à trente mille dollars. Personne ne vous prêtera une telle somme sur les 5 chances incertaines d'un procès très compliqué. Ce serait de la folie. Si vous êtes malheureuse, si vous avez besoin d'un secours . . . — Ce n'est pas cela, mon père, dit très vivement Richard, ce n'est pas cela que miss Percival demande. — Je le sais bien, mais ce qu'elle me demande est impossible. . . . » Il 10 se leva pour me reconduire. . . . Alors j'eus un accès de faiblesse, le premier depuis la mort de mon père ; j'avais été, jusque-là, assez forte, mais je sentais mon courage épuisé. J'eus une crise de nerfs et de larmes.† Je me remis enfin, et je partis. Une heure après, Richard Scott était chez moi. « Suzie, me dit-il, 15 promettez-moi d'accepter ce que je vais† vous offrir ; promettez-le-moi. » Je le lui promis. . . . « Eh bien, dit-il, à cette seule condition que mon père n'en sache rien, je mets à votre disposition la somme qui vous est nécessaire. — Mais encore faut-il que vous connaissiez mon procès, que vous sachiez ce qu'il est, 20 ce qu'il vaut ? — Je ne sais pas le premier mot de votre procès . . . et n'en veux rien connaître. Où serait le mérite de vous obliger, si j'avais la certitude de rentrer dans mon argent ? D'ailleurs, vous avez promis d'accepter. C'est fait. Il n'y a pas à y revenir. » Cela m'était offert avec une telle simplicité, avec 25 une telle ouverture de cœur, que j'acceptai. Trois mois après, le procès était gagné ; ces terrains, devenus, sans contestation possible, notre propriété à tous deux, on voulait nous les acheter cinq millions. J'allai consulter Richard. « Refusez et attendez, me dit-il, si l'on vous propose une pareille somme, c'est que les 30 terrains valent le double. — Cependant, il faut bien que je vous rende votre argent, je vous dois beaucoup, beaucoup d'argent. — Oh ! pour cela, plus tard, rien ne presse† ; je suis bien tranquille maintenant ! Ma créance ne court plus aucun danger. — Mais je voudrais vous payer tout de suite[†]; j'ai les dettes en horreur[†]! . . . Il y aurait un moyen peut-être, sans vendre les terrains. Richard, voulez-vous être mon mari ? » Oui, monsieur le curé ; oui, monsieur, dit madame Scott en riant, c'est moi qui me suis ainsi jetée à la tête de mon mari. C'est moi qui lui ai demandé sa main. Cela, vous pouvez le dire à tout le monde,[†] et vous ne direz que la vérité. J'étais, d'ailleurs, bien obligée d'agir de la sorte.[†] Jamais, oh ! je suis aussi sûre de cela que de ma vie, jamais il n'aurait parlé. . . . J'étais devenue trop riche. . . . Et, comme c'était moi qu'il aimait et pas mon argent, mon argent lui faisait une peur[†] affreuse. Voilà l'histoire de mon mariage. Quant à l'histoire de notre fortune, elle peut se dire en quelques mots. Il y avait, en effet, des millions dans ces terrains du Colorado ; on y découvrit de très abondantes mines d'argent, et de ces mines nous tirons tous les ans des revenus déraisonnables. Mais nous sommes d'accord, mon mari, ma sœur et moi, pour faire, sur ces revenus, très large la part des pauvres. Vous vous en apercevrez, monsieur le curé . . . c'est parce que nous avons connu des jours très cruels, c'est parce que Bettina se souvient[†] d'avoir mis le couvert[†] dans notre petit cinquième étage de New-York, c'est pour cela que vous nous trouverez toujours secourables à ceux qui sont, comme nous l'avons été nous-mêmes, en présence des difficultés et des douleurs de la vie. . . . Et maintenant, monsieur Jean, voulez-vous me pardonner ce long discours et m'offrir un peu de cette crème qui paraît excellente ?

Cette crème, c'étaient les œufs[†] au lait de Pauline . . . et, pendant que Jean s'empressait de servir madame Scott :

— Je n'ai pas encore tout dit, continua-t-elle. Il faut que vous sachiez ce qui a donné naissance à ces histoires extravagantes. Quand nous sommes venus nous installer à Paris, il y a un an, nous avons cru devoir, dès notre arrivée, donner pour les pauvres une certaine somme. Qui a parlé de cela ? Pas nous, bien certainement ; mais la chose fut racontée dans un journal, avec le

chiffre. Aussitôt deux jeunes reporters accoururent pour faire subir à M. Scott un petit interrogatoire sur son passé. Ils voulaient écrire sur nous dans les journaux des . . . comment appelez-vous cela ? des chroniques. M. Scott est quelquefois un
5 peu vif. Il le fut ce jour-là et congédia ces messieurs très brusquement, sans leur rien dire. Alors, ne sachant pas notre histoire véritable, ils en inventèrent une avec beaucoup d'imagination. Le premier raconta que j'avais mendié dans la neige à New-York . . . et le second, le lendemain, pour publier un article
10 encore plus à sensation, le second me fit crever des cerceaux de papier dans un cirque de Philadelphie. Vous avez en France de bien drôles de journaux . . . et nous aussi, d'ailleurs, en Amérique.

Cependant, depuis cinq minutes, Pauline adressait au curé des
15 signes désespérés que celui-ci s'obstinait à ne pas comprendre, si bien† que la pauvre fille, à la fin, rassemblant tout son courage :

— Monsieur le curé, il est sept heures un quart.

— Sept heures un quart ! Oh ! mesdames, je vous prie de m'excuser, mais j'ai ce soir mon office du mois de Marie.

20 — Le mois de Marie . . . et l'office, c'est tout de suite† ?

— Oui, tout de suite.

— Et notre train pour Paris ce soir, à quelle heure exactement ?

— A neuf heures et demie, répondit Jean, et il ne vous faut en voiture que quinze à vingt minutes pour arriver à la gare.

25 — Mais alors, Suzie, nous pouvons aller à l'église.

— Allons à l'église, répondit madame Scott ; mais, avant de nous séparer, monsieur le curé, j'ai une grâce à vous demander. Je veux absolument vous avoir, la première fois que je dînerai chez moi à Longueval, et vous aussi, monsieur . . . seuls, tous
30 les quatre, comme aujourd'hui. Oh ! ne refusez pas, l'invitation est faite de si bon cœur.†

— Et acceptée du même cœur, madame, répondit Jean.

— Je vous écrirai pour vous dire le jour. Je viendrai le plus tôt possible. . . . Vous appelez cela, n'est-ce pas, pendre la crémaillère[†] ? Eh bien, nous pendrons la crémaillère à nous quatre.

Pendant ce temps, Pauline avait entraîné miss Percival dans un coin de la salle, et, là, avec beaucoup d'animation, lui parlait. Leur conversation prit fin sur ces paroles :

— Vous serez là ? disait Bettina.

— Oui, je serai là.

— Et vous me direz bien à quel moment.

— Je vous le dirai, mais prenez garde[†] . . . voici monsieur le curé, il ne faut pas qu'il se doute.[†] . . .

Les deux sœurs, le curé et Jean sortirent de la maison. De là, pour aller à l'église, il fallait traverser le cimetière. La soirée était délicieuse. Lentement, silencieusement, tous les quatre, sous les rayons du soleil couchant, marchaient dans une allée.

Sur leur chemin se trouva le monument du docteur Reynaud, très simple, mais qui cependant, par ses proportions, se distinguait des autres tombes. Madame Scott et Bettina s'arrêtèrent, frappées par cette inscription gravée sur pierre :

Ici repose le docteur Marcel Reynaud, chirurgien-major des mobilisés de Souvigny, tué, le 8 *janvier* 1871, *à la bataille de Villersexel. Priez pour lui.*

Quand elles eurent fini de lire, le curé, en leur montrant Jean, dit ces simples mots :

— C'était son père !

Les deux femmes alors s'approchèrent de la tombe, et, la tête inclinée, restèrent là pendant quelques instants, pensives, émues, recueillies ; puis, se retournant toutes deux, en même temps, du même mouvement, elles tendirent la main au jeune officier et reprirent leur marche vers l'église. Le père de Jean avait eu, à Longueval, leur première prière.

Le curé s'en alla revêtir son surplis et son étole. Jean conduisit madame Scott au banc réservé depuis deux siècles aux maîtres de Longueval. Pauline avait pris les devants.[†] Elle attendait miss Percival dans l'ombre, derrière un pilier de l'église. Par un escalier étroit et raide, elle fit monter Bettina dans la tribune et l'installa devant l'harmonium.

Précédé de deux enfants de chœur, le vieux curé sortit de la sacristie, et, au moment où il s'agenouillait sur les marches de l'autel :

— C'est le moment, mademoiselle, dit Pauline, dont le cœur battait d'impatience. Pauvre cher homme, va-t-il être content !

Lorsqu'il entendit le chant de l'orgue s'élever doucement comme un murmure et se répandre dans la petite église, l'abbé Constantin fut pris d'une telle émotion, d'une telle joie, que les larmes lui vinrent aux yeux. Il ne se souvenait pas d'avoir pleuré, depuis le jour où Jean lui avait dit qu'il voulait partager tout ce qu'il possédait avec la mère et avec la sœur de ceux qui étaient tombés, à côté de son père, sous les balles allemandes.

Pour qu'il se trouvât encore des larmes dans les yeux du vieux prêtre, il avait fallu qu'une petite Américaine passât les mers et vînt jouer une rêverie de Chopin dans l'église de Longueval.

IV

Le lendemain, à cinq heures et demie, on sonnait le boute-selle dans la cour du quartier. Jean montait à cheval et prenait le commandement de sa section. A la fin du mois de mai, toutes les recrues de l'armée sont instruites et capables de participer aux évolutions d'ensemble. On exécute, presque tous les jours, au polygone, des manœuvres de batteries attelées.

Jean aimait son métier ; il avait coutume de surveiller avec beaucoup de soin l'attelage et le harnachement des chevaux, l'équipement et l'allure de ses hommes ; mais il ne donna, ce matin-là, que peu d'attention à tous les petits détails du service.

Un problème l'agitait, le tourmentait, le laissait indécis, et ce problème était de ceux dont la solution ne se donne pas à l'École polytechnique. Jean ne pouvait trouver de réponse précise à cette question :

— Laquelle des deux est la plus jolie ?

Au polygone, pendant la première partie de la manœuvre, chaque batterie travaille pour son compte, sous les ordres du capitaine ; mais souvent il cède la place à l'un de ses lieutenants pour l'habituer à la direction des six pièces. Ce jour-là précisément, dès le début de la manœuvre, le commandement fut mis entre les mains de Jean. A la grande surprise du capitaine, qui tenait[†] son lieutenant en premier pour un officier très capable et très habile, les choses allèrent tout de travers.[†] Jean indiqua deux ou trois faux mouvements ; il ne sut ni maintenir ni rectifier les distances ; les attelages, à plusieurs reprises, se trouvèrent en contact. Le capitaine dut intervenir ; il adressa à Jean une petite réprimande qui se termina par ces mots :

— Je n'y comprends rien. Qu'est-ce que vous avez† ce matin? C'est la première fois que cela vous arrive.

C'est que c'était aussi la première fois que Jean, dans le polygone de Souvigny, voyait autre chose que des canons et des caissons, autre chose que des servants et des conducteurs. Dans les flots de poussière soulevés par les roues des voitures et les pieds des chevaux, Jean apercevait, non pas la deuxième batterie montée du 9e d'artillerie, mais l'image distincte de deux Américaines aux yeux noirs sous des cheveux d'or. Et, au moment où il recevait respectueusement la légitime semonce de son capitaine, Jean était en train† de se dire :

— La plus jolie, c'est madame Scott!

La manœuvre est, tous les matins, coupée en deux par un petit repos d'une dizaine de minutes. Les officiers se rassemblent et causent. Jean se tint à l'écart,† seul avec ses souvenirs de la veille. Sa pensée, obstinément, le ramenait vers le presbytère de Longueval. . . . Oui, la plus charmante des deux, c'était madame Scott. Miss Percival n'était qu'une enfant. Il revoyait madame Scott à la petite table du curé. Il entendait ce récit fait avec une telle franchise, une telle liberté. L'harmonie un peu étrange de cette voix très particulière, très pénétrante, enchantait encore son oreille. Il se retrouvait dans l'église. Elle était là, devant lui, inclinée sur son prie-Dieu, sa jolie tête enfermée dans ses deux petites mains. Puis l'orgue se mettait† à chanter, et, dans l'ombre, au loin,† vaguement, Jean apercevait l'élégante et fine silhouette de Bettina.

Une enfant? n'était-ce qu'une enfant? Les trompettes sonnèrent. La manœuvre recommença. Cette fois, par bonheur,† plus de commandement, plus de responsabilité. Les quatre batteries exécutaient des évolutions d'ensemble. On voyait tournoyer en tous sens cette masse énorme d'hommes, de chevaux et de voitures, tantôt déployée en une longue ligne de bataille, tantôt resserrée en un groupe compact. Tout s'arrêtait en même temps, d'un seul coup, sur toute l'étendue du polygone. Les servants sautaient à bas de leurs chevaux, couraient à la pièce, la décrochaient de son avant-train qui s'éloignait au trot, et la disposaient à faire feu avec une rapidité surprenante. Puis les attelages revenaient, les servants raccrochaient les pièces, se remettaient vivement en selle, et le régiment se lançait, à grande allure, à travers le champ de manœuvre.

Bettina, tout doucement, dans la pensée de Jean, reprenait l'avantage sur madame Scott. Elle lui apparaissait, souriante et rougissante, dans les flots ensoleillés de ses cheveux épars. *Monsieur Jean* . . . elle l'avait appelé *monsieur Jean* . . . et jamais son petit nom ne lui avait paru si joli. Et les dernières poignées de main, au départ, avant de monter en voiture ! . . . Miss Percival avait serré un peu plus fort que madame Scott . . . un peu plus fort, positivement. Elle avait ôté ses gants pour jouer de l'orgue, et Jean sentait encore l'étreinte de cette petite main nue, qui était venue se blottir, fraîche et souple, dans sa grosse vilaine patte d'artilleur.

— Je me trompais[†] tout à l'heure,[†] se disait Jean, la plus jolie, c'est miss Percival.

La manœuvre était finie. Les batteries se placèrent les unes derrière les autres, à intervalles serrés, les pièces parfaitement alignées, et le défilé eut lieu[†] au grand trot avec un vacarme effroyable et dans un ouragan de poussière. Lorsque Jean, le sabre au poing, passa devant le colonel, les deux images des deux sœurs se confondaient et s'enchevêtraient si bien dans ses souvenirs, qu'elles entraient et disparaissaient, en quelque sorte, l'une dans l'autre, devenaient une seule et même personne. Tout parallèle devenait impossible, grâce à cette singulière confusion des deux termes de la comparaison.

Madame Scott et miss Percival restèrent, de la sorte, inséparables dans la pensée de Jean, jusqu'au jour où il devait lui être donné de les revoir. L'impression de cette brusque rencontre ne s'effaça pas ; elle persista, très vive et très douce, à tel point que Jean se sentait agité, inquiet.

— Aurais-je fait, se disait-il, la bêtise de devenir ainsi amoureux, follement, à première vue ? Mais non, on devient 5 amoureux d'une femme . . . et non pas de deux femmes à la fois.†

Cela le rassurait. Il était très jeune, ce grand garçon de vingt-quatre ans. Jamais l'amour n'était entré pleinement, franchement, ouvertement dans son cœur. L'amour, il ne le 10 connaissait guère que par les romans, et il avait lu très peu de romans. Ce n'était pas un ange cependant. Il trouvait de la grâce et de la gentillesse aux grisettes de Souvigny ; lorsqu'elles lui permettaient de leur dire qu'elles étaient charmantes, il le leur disait volontiers ; mais, quant à voir de l'amour dans des 15 fantaisies qui ne mettaient en son cœur que de très légères et de très superficielles agitations, jamais il ne s'en était avisé.†

Paul de Lavardens avait, lui, de merveilleuses facultés d'enthousiasme et d'idéalisation. Son cœur logeait toujours trois ou quatre grandes passions qui vivaient là, fraternellement, 20 en bon accord. Paul avait le talent de trouver dans cette petite ville de quinze mille âmes quantité de jolies filles, toutes faites pour êtres adorées. Il croyait perpétuellement découvrir l'Amérique quand il ne faisait que la retrouver.

Le monde, Jean l'avait à peine entrevu. Il s'était laissé con-25 duire, une dizaine de fois peut-être, par Paul, à des soirées, à des bals, dans les châteaux des environs. Il en avait rapporté une impression de gêne, de malaise et d'ennui. Il en avait conclu que ces plaisirs-là n'étaient pas faits pour lui. Il avait des goûts sérieux et simples. Il aimait la solitude, le travail, les 30 longues promenades, les grands espaces, les chevaux et les livres. Il était un peu sauvage, un peu paysan. Il adorait son village et tous les vieux témoins de son enfance qui lui parlaient d'autrefois. Un quadrille dans un salon lui causait une peur insurmontable ; mais, tous les ans, à la fête patronale de Longueval, il dansait de bon cœur† avec les fillettes et les fermières du pays.

S'il avait vu madame Scott et miss Percival chez elles, à Paris, dans toutes les splendeurs de leur luxe, dans tout l'éclat de leur élégance, il les aurait regardées, de loin,† avec curiosité, comme de ravissants objets d'art. Puis il serait rentré chez lui et aurait, sans nul doute, dormi comme à l'ordinaire,† le plus paisiblement du monde.

Oui, mais ce n'était pas ainsi que les choses s'étaient passées,† et de là son étonnement, de là son trouble. Ces deux femmes, par le plus grand des hasards, s'étaient montrées à lui dans un milieu qui lui était familier et qui leur avait été, par cela même, singulièrement favorable. Simples, bonnes, franches, cordiales, voilà ce qu'elles avaient été dès le premier jour. Et, par-dessus le marché,† délicieusement jolies, ce qui ne gâte jamais rien. Jean s'était senti tout de suite† sous le charme. Il y était encore.

Au moment où il descendait de cheval, à neuf heures, dans la cour du quartier, l'abbé Constantin entrait joyeusement en campagne.† La tête du vieux prêtre, depuis la veille, était en feu. Jean n'avait pas beaucoup dormi, et lui, le pauvre curé, n'avait pas dormi du tout.

De grand matin,† il s'était levé, et, toutes portes closes, seul avec Pauline, il avait compté et recompté son argent, étalant sur la table ses cent louis, et, comme un avare, prenant plaisir à les manier. A lui tout cela ! à lui ! c'est-à-dire† aux pauvres.

— N'allez pas trop vite, monsieur le curé, disait Pauline ; soyez économe. Je crois qu'en distribuant aujourd'hui une centaine de francs . . .

— Ce n'est pas assez, Pauline, ce n'est pas assez. Je n'aurai eu qu'une journée comme celle-là dans ma vie, mais je l'aurai eue ! Savez-vous combien je vais† donner, Pauline ?

— Combien, monsieur le curé ?

— Mille francs !

— Mille francs ! ! !

— Oui, nous sommes millionnaires maintenant. Nous avons à nous tous les trésors de l'Amérique, et je ferais des économies ? Pas aujourd'hui en tout cas[†] ! Je n'en ai pas le droit.

Sa messe dite, à neuf heures, il partit et ce fut une pluie d'or sur sa route. Ils eurent tous leur part, et[†] les pauvres avouant leur misère, et ceux qui la cachaient. Chaque aumône était accompagnée du même petit discours :

— Cela vient des nouveaux maîtres de Longueval, deux Américaines . . . Madame Scott et miss Percival. Retenez bien leurs noms et priez pour elles ce soir.

Puis il se sauvait, sans attendre les remerciements ; à travers les champs, à travers les bois, de hameau en hameau, de chaumière en chaumière, il allait, il allait, il allait. . . . Une sorte de griserie lui montait au cerveau. Partout sur son passage, c'étaient des cris de joie et d'étonnement. Tous ces louis d'or tombaient, comme par miracle, dans ces pauvres mains habituées à recevoir de petites pièces de monnaie blanche. Le curé fit même des folies, des vraies folies ; il était lancé, il ne se connaissait plus. Il donnait à ceux-là mêmes qui ne demandaient pas.

Il rencontra Claude Rigal, un ancien sergent qui avait laissé un de ses bras à Sébastopol, déjà tout grisonnant, tout blanchissant ; car le temps passe et les soldats de Crimée bientôt seront des vieillards.

— Tenez, dit le curé, voilà vingt francs.

— Vingt francs ! mais je ne demande rien, je n'ai besoin de rien. J'ai ma pension.

Sa pension ! . . . sept cents francs !

— Eh bien, répondit le curé, ce sera pour vous acheter des cigares ; mais écoutez bien, cela vient d'Amérique. . . .

Il recommençait sa petite tirade sur les nouveaux maîtres de Longueval.

Il entra chez une brave femme, dont le fils, le mois précédent, était parti pour la Tunisie.

— Eh bien, votre fils, comment va-t-il ?

— Pas mal, monsieur le curé, j'ai reçu hier une lettre. Il se porte bien, il ne se plaint pas ; seulement il dit qu'il n'y a pas de Kroumirs. . . . Pauvre garçon ! J'ai fait des petites économies depuis un mois, et je crois que je pourrai bientôt lui envoyer dix francs.

— Vous lui en enverrez trente. . . . Prenez. . . .

— Vingt francs, monsieur le curé ! vous me donnez vingt francs !

— Oui, je vous les donne. . . .

— Pour mon garçon ?

— Pour votre garçon. . . . Seulement, écoutez bien, il faut que vous sachiez d'où ça vient ; vous aurez bien soin de le dire à votre fils, quand vous lui écrirez.

Le curé, pour la vingtième fois, répéta son petit panégyrique de madame Scott et de miss Percival. A six heures, il rentra chez lui, épuisé de fatigue, mais la joie dans l'âme.

— J'ai tout donné ! s'écria-t-il dès qu'il aperçut Pauline, tout donné ! tout donné !

Il dîna et s'en alla, le soir, dire son office du mois de Marie ; mais, au moment où il monta à l'autel, l'harmonium resta muet. Miss Percival n'était plus là.

La petite organiste de la veille était, en ce même moment, fort perplexe. Sur les deux divans de son cabinet[†] de toilette, deux robes s'étalaient à grands flots, une robe blanche et une robe bleue. Bettina se demandait laquelle de ces deux robes elle allait mettre, pour aller le soir à l'Opéra. Elles les trouvait délicieuses toutes les deux, mais il fallait bien choisir. Elle ne pouvait en mettre qu'une. Après de longues hésitations, elle se décida pour la robe blanche.

A neuf heures et demie, les deux sœurs montaient le grand

escalier de l'Opéra. Quand elles entrèrent dans leur loge, le rideau se levait sur le second tableau du deuxième acte d'*Aïda*, l'acte du ballet et de la marche.

Deux jeunes gens, Roger de Puymartin et Louis de Martillet, 5 se trouvaient assis au premier rang d'une baignoire de rez-de-chaussée. Ces demoiselles du corps de ballet n'étaient pas encore en scène, et ces messieurs, désœuvrés, s'amusaient à regarder la salle. L'apparition de miss Percival fit sur tous deux une très vive impression.

10 — Ah ! ah ! dit Puymartin, le voilà, le petit lingot d'or ! Tous deux braquèrent leurs lorgnettes sur Bettina.

— Il est éblouissant, ce soir, le petit lingot d'or, continua Martillet. Regarde donc . . . la ligne du cou . . . l'attache des bras. . . . Jeune fille encore et déjà femme.

15 — Oui, elle est ravissante . . . et à son aise par-dessus le marché.†

— Quinze millions, il paraît, quinze millions à elle, bien à elle, et la mine d'argent marche toujours !

— Bérulle m'a dit vingt-cinq millions . . . et il est très au 20 courant† des choses d'Amérique, Bérulle.

— Vingt-cinq millions ! Un joli banco pour Romanelli !

— Comment, Romanelli ?

— Le bruit† court qu'il l'épouse, que le mariage est décidé.

— Mariage décidé, soit, mais avec Montessan, pas avec 25 Romanelli. . . . Ah ! enfin, voici le ballet !

Ils cessèrent de causer. Le ballet dans *Aïda* ne dure que cinq minutes et ils ne venaient tous les deux que pour ces cinq minutes-là. Il importait d'en jouir respectueusement, religieusement ; car il y a cela de particulier chez nombre d'habitués de 30 l'Opéra, qu'ils bavardent comme des pies quand il conviendrait de se taire pour écouter, et qu'ils observent, au contraire, un admirable silence quand il serait permis de causer, tout† en regardant.

Les trompettes héroïques d'*Aïda* avaient jeté leur dernière fanfare en l'honneur de Radamès. Devant les grands sphinx, sous le vert feuillage des palmiers, les danseuses s'avançaient étincelantes et prenaient possession de la scène.

Madame Scott, avec beaucoup d'attention et de plaisir, suivait les évolutions du ballet ; mais Bettina brusquement était devenue songeuse, en apercevant dans une loge, de l'autre côté[†] de la salle, un grand jeune homme brun. Miss Percival se parlait à elle-même et se disait :

— Que faire ? que décider ? Faut-il l'épouser, ce grand garçon qui est là en face[†] et qui me lorgne ? . . . car c'est moi qu'il regarde. . . . Il va venir tout à l'heure[†] pendant l'entr'acte, et, quand il entrera, je n'aurais qu'à lui dire : « C'est fait ! voici ma main. . . . Je serai votre femme. » Et ce serait fait ! Princesse, je serais princesse ! princesse Romanelli ! princesse Bettina ! Bettina Romanelli ! Cela s'arrange bien, cela sonne très gentiment à l'oreille : « Madame la princesse est servie. . . . — Madame la princesse montera-t-elle à cheval demain matin ? . . . » Cela m'amusera-t-il d'être princesse ? . . . Oui et non. . . . Parmi tous ces jeunes gens qui, depuis un an, à Paris, courent après mon argent, ce prince Romanelli, c'est encore ce qu'il y a de mieux. . . . Il faudra bien que je me décide, un de ces jours, à me marier. . . . Je crois qu'il m'aime. . . . Oui, mais moi, est-ce que je l'aime ? Non, je ne crois pas . . . et j'aimerais tant aimer ! . . . Oh ! oui, j'aimerais tant ! . . .

A l'heure précise où ces réflexions passaient par la jolie tête de Bettina, Jean, seul dans son cabinet de travail, assis devant son bureau avec un gros livre sous l'abat-jour de sa lampe, repassait, en prenant des notes, l'histoire des campagnes de Turenne. Il était chargé de faire un cours aux sous-officiers du régiment, et, prudemment, il préparait sa leçon du lendemain.

Mais voilà que, tout à coup, au milieu de ses notes : Nordlingen, 1645 ; les Dunes, 1658 ; Mulhausen et Turckheim, 1674–1675, voilà qu'il aperçut un croquis. . . . Jean ne dessinait pas trop mal. Un portrait de femme était venu se placer de lui-même sous sa plume. Qu'est-ce qu'elle venait faire là, au milieu des victoires de Turenne, cette petite bonne femme ? Et puis laquelle 5 était-ce ? . . . Madame Scott ou miss Percival ? . . . Comment savoir ? . . . Elles se ressemblaient tant ! . . . Et Jean, péniblement, laborieusement, revenait à l'histoire des campagnes de Turenne.

Au même moment encore, l'abbé Constantin, à genoux devant 10 sa petite couchette de noyer, de toutes les forces de son âme, appelait les grâces du Ciel sur les deux femmes qui lui avaient fait passer une si douce et une si heureuse journée. Il priait Dieu de bénir madame Scott dans ses enfants et de donner à miss Percival un mari selon son cœur.

V

Paris autrefois appartenait aux Parisiens, et cet autrefois n'est pas très loin de nous ; trente ou quarante ans à peine. Les Français, à cette époque, étaient maîtres de Paris, comme les Anglais sont maîtres de Londres, les Espagnols de Madrid et les Russes de Saint-Pétersbourg. Ces temps ne sont plus. Il y a encore des frontières pour les autres pays, il n'y en a plus pour la France. Paris est devenu une immense tour de Babel, une ville internationale et universelle. Les étrangers ne viennent pas seulement visiter Paris ; ils viennent y vivre.

Nous avons à présent, à Paris, une colonie russe, une colonie espagnole, une colonie levantine, une colonie américaine ; ces colonies ont leurs églises, leurs banquiers, leurs médecins, leurs journaux, leurs pasteurs, leurs popes et leurs dentistes. Les étrangers ont déjà conquis sur nous la plus grande partie des Champs Élysées et du boulevard Malesherbes ; ils avancent, ils s'étendent ; nous reculons, refoulés par l'invasion ; nous sommes obligés de nous expatrier. Nous allons fonder des colonies parisiennes dans la plaine de Passy, dans la plaine de Monceau, dans des quartiers qui autrefois n'étaient pas du tout† Paris et qui ne le sont pas encore tout à fait† aujourd'hui.

Parmi ces colonies étrangères, la plus nombreuse, la plus riche, la plus brillante, c'est la colonie américaine. Il y a un moment où un Américain se sent assez riche ; un Français, jamais. L'Américain alors s'arrête, respire un peu et, tout† en ménageant le capital, ne compte plus avec les revenus, il sait dépenser ; le Français ne sait qu'épargner.

Le Français n'a qu'un seul véritable luxe : ses révolutions. Prudemment et sagement, il se réserve pour elles, sachant bien qu'elles coûteront fort cher à la France, mais qu'elles seront, en même temps, l'occasion de placements fort avantageux. Le budget de notre pays n'est qu'un long emprunt perpétuellement ouvert. Le Français se dit :

— Thésaurisons ! thésaurisons ! thésaurisons ! Il y aura, un de ces matins, quelque révolution qui fera tomber le cinq pour cent à cinquante ou soixante francs. J'en achèterai. Puisque les révolutions sont inévitables, tâchons du moins[†] d'en tirer profit.

On parle sans cesse des gens ruinés par les révolutions, et plus grand peut-être est le nombre des gens enrichis par les révolutions.

Les Américains subissent très fortement l'attraction de Paris. Il n'est pas au monde de ville où il soit plus agréable et plus facile de dépenser beaucoup d'argent. Par des raisons de race et d'origine, cette attraction s'exerçait sur madame Scott et sur miss Percival d'une façon toute particulière.

La plus française de nos colonies, c'est le Canada, qui n'est plus à nous. Le souvenir de la patrie première a persisté très puissant et très doux au cœur des émigrés de Québec et de Montréal. Suzie Percival avait reçu de sa mère une éducation toute française, et elle avait élevé sa sœur dans le même amour de notre pays. Les deux sœurs se sentaient Françaises, mieux que cela, Parisiennes.

Aussitôt que cette avalanche de millions se fut abattue sur elles, un même désir les posséda : venir vivre à Paris. Elles demandèrent la France comme on demande la patrie. M. Scott fit quelque résistance.

— Quand je ne serai plus là, disait-il, quand je viendrai seulement tous les ans passer deux ou trois mois en Amérique, pour surveiller vos intérêts, vos revenus à toutes deux diminueront.

— Qu'importe ! répondait Suzie, nous sommes riches, trop riches. . . . Partons, je vous en prie. . . . Nous serons si contentes ! si heureuses !

M. Scott se laissa fléchir ; et Suzie, dans les premiers jours de janvier 1880, put écrire la lettre suivante à son amie, Katie Norton, qui, depuis quelques années déjà, habitait Paris :

« Victoire ! c'est décidé ! Richard a consenti. J'arrive au mois d'avril et je redeviens Française. Vous m'avez offert de vous charger de tous les préparatifs de notre installation à Paris. Je suis horriblement indiscrète. . . . J'accepte.

« Je voudrais, dès que je mettrai le pied à Paris, pouvoir jouir de Paris, ne pas perdre mon premier mois en courses chez les tapissiers, chez les carrossiers, chez les marchands de chevaux. Je voudrais, en descendant du chemin de fer, trouver dans la cour de la gare *ma* voiture, *mon* cocher, *mes* chevaux. Je voudrais vous avoir, ce jour-là, à dîner avec moi *chez moi*. Louez ou achetez un hôtel, engagez des domestiques, choisissez les voitures, les chevaux, les livrées. Je m'en rapporte† absolument à vous. Que les livrées soient bleues, voilà tout. Cette ligne est ajoutée à la demande de Bettina, qui, par-dessus mon épaule, regarde ce que je vous écris.

« Nous n'amenons en France avec nous que sept personnes : Richard, son valet de chambre ; Bettina et moi, nos femmes de chambre ; les deux gouvernantes des enfants ; plus deux *boys*, Toby et Boby, qui nous suivent à cheval. Ils montent dans une rare perfection. . . . Deux vrais petits amours : même taille, même tournure, presque même figure ; nous ne trouverions jamais à Paris de grooms mieux appareillés.

« Tout le reste, choses et gens, nous le laissons à New-York. . . . Non, pas tout le reste, j'oubliais quatre petits poneys, quatre bijoux, noirs comme de l'encre avec des balzanes blanches, tous les quatre, aux quatre jambes ; nous n'aurons pas le cœur de nous en séparer. Nous les attelons sur un duc, c'est charmant ! Nous menons très bien à quatre, Bettina et moi. Des femmes peuvent, n'est-ce pas, sans trop de scandale, mener à quatre, au Bois, le matin, de bonne heure.† Ici, cela se peut.†

« Surtout, ma chère Katie, ne comptez pas avec l'argent. . . . Des folies, faites des folies. Voilà tout ce que je vous demande. »

Le jour même où madame Norton recevait cette lettre, la
5 nouvelle éclatait de la débâcle d'un certain Garneville, gros spéculateur, qui n'avait pas eu de flair ; il avait *senti de la baisse* quand il aurait fallu *sentir de la hausse.* Ce Garneville, six semaines auparavant, s'était installé dans un hôtel tout battant† neuf et qui n'avait d'autre défaut qu'une trop violente
10 magnificence.

Madame Norton signa un acte† de location, — cent mille francs par an, — avec faculté d'acheter l'hôtel et le mobilier pour deux millions dans la première année de bail. Un tapissier de grand style se chargea† de corriger, d'adoucir le luxe
15 démesuré d'un ameublement criard et tapageur.

Cela fait, l'amie de madame Scott eut le bonheur de mettre, du premier coup, la main sur deux de ces artistes éminents sans lesquels une grande maison ne pourrait se fonder et ne saurait fonctionner.

20 D'abord, un chef de premier ordre, qui venait† d'abandonner un vieil hôtel du faubourg Saint-Germain, à son grand regret, car il avait des sentiments aristocratiques. Il lui en coûtait† un peu d'aller servir chez des bourgeois, chez des étrangers.

— Jamais, dit-il à madame Norton, je n'aurais quitté le service
25 de madame la baronne, si elle avait soutenu son train sur le même pied . . . mais madame la baronne a quatre enfants . . . deux fils qui ont fait des bêtises . . . et deux filles qui seront bientôt en âge d'être mariées. Il faudra les doter. Enfin madame la baronne est obligée de se resserrer un peu et la
30 maison n'est plus assez importante pour moi.

Ce praticien distingué fit ses conditions ; bien qu'excessives, elles n'effrayèrent pas madame Norton, qui savait avoir affaire† à un homme du plus sérieux mérite ; mais lui, avant de se décider, demanda la permission de télégraphier à New-York. Il avait besoin de prendre des renseignements.† La réponse fut favorable. Il accepta.

Le second grand artiste était un piqueur d'une très rare et très haute capacité, qui venait† de se retirer après fortune faite. Il consentit cependant à organiser les écuries de madame Scott. Il fut bien entendu qu'il aurait toute liberté dans les acquisitions de chevaux, qu'il ne porterait pas la livrée, qu'il choisirait les cochers, les grooms et les palefreniers, qu'il n'y aurait jamais moins de quinze chevaux à l'écurie, qu'aucun marché ne se ferait avec le carrossier et avec le sellier sans son intervention et qu'il ne monterait sur le siège que le matin, en *costume de ville*, pour donner des leçons de guides à ces dames et aux enfants, s'il était nécessaire.

Le chef prit possession de ses fourneaux et le piqueur de ses écuries. Tout le reste n'était qu'une question d'argent, et madame Norton à cet égard usa largement de ses pleins pouvoirs. Elle se conforma aux instructions qu'elle avait reçues. Elle fit, dans ce court espace de deux mois, de véritables prodiges, pour que l'installation des Scott fût absolument complète et absolument irréprochable.

Et voilà comment, lorsque, le 15 avril 1880, M. Scott, Suzie et Bettina descendirent du *rapide* du Havre, à quatre heures et demie, sur le quai de la gare Saint-Lazare, ils trouvèrent madame Norton, qui leur dit :

— Votre calèche est là, dans la cour. Il y a derrière la calèche, un landau pour les enfants et, derrière le landau, un omnibus pour les domestiques. Les trois voitures à votre chiffre, conduites par vos cochers et attelées de vos chevaux. Vous demeurez : 24, rue Murillo, et voici le menu de votre dîner de ce soir. Vous m'avez invitée, il y a deux mois, j'accepte et je prendrai même la liberté de vous amener une quinzaine de personnes. Je fournis tout, même les invités. . . . Rassurez-vous,

vous les connaissez tous, ce sont de nos amis communs . . . et, dès ce soir, nous pourrons juger des mérites de votre cuisinier.

Madame Norton remit à madame Scott une jolie petite carte entourée d'un fil d'or, qui portait ces mots: *Menu du dîner du 15 avril 1880*, et au-dessous: *Consommé à la parisienne, truites saumonées à la russe*, etc.

Le premier Parisien qui eut l'honneur et le plaisir de rendre hommage à la beauté de madame Scott et de miss Percival fut un petit marmiton d'une quinzaine d'années, qui se trouvait† là, vêtu de blanc, sa manne d'osier sur la tête, au moment où le cocher de madame Scott, gêné par un embarras de voitures, sortait difficilement de la cour de la gare. Le petit marmiton s'arrêta net sur le trottoir, ouvrit de grands yeux,† regarda les deux sœurs avec un air d'ébahissement et leur lança hardiment en plein visage ce simple mot:

— Mazette! ! !

Quand elle vit venir les rides et les cheveux blancs, madame Récamier disait à une de ses amies:

— Ah! ma chère, il n'y a plus d'illusion à se faire. Depuis le jour où j'ai vu que les petits ramoneurs ne se retournaient plus dans la rue pour me regarder, j'ai compris que tout était fini.

L'opinion des petits marmitons vaut, en pareil cas, l'opinion des petits ramoneurs. . . . Tout n'était pas fini pour Suzie et pour Bettina; tout commençait, au contraire.

Cinq minutes après, la calèche de madame Scott montait le boulevard Haussmann au trot lent et cadencé de deux admirables chevaux; Paris comptait deux Parisiennes de plus.

Le succès de madame Scott et de miss Percival fut immédiat, décisif, foudroyant. Les beautés de Paris ne sont pas classées et cataloguées comme les *beautés* de Londres. Elles ne font pas publier leur portrait dans les journaux illustrés et ne laissent pas vendre leur photographie chez les papetiers . . . cependant, il existe toujours un petit état-major d'une vingtaine de femmes qui représentent la grâce, l'élégance et la beauté parisiennes, lesquelles femmes, après dix ou douze années de services, passent dans le cadre de réserve, tout comme les vieux généraux.

Suzie et Bettina firent[†] tout de suite partie de ce petit état-major. Ce fut l'affaire de vingt-quatre heures, pas même vingt-quatre heures ; car tout se passa entre huit heures du matin et minuit, le lendemain même de leur arrivée à Paris.

Imaginez une sorte de petite féerie en trois actes et dont le succès irait[†] grandissant de tableau en tableau :

1° Une promenade à cheval, le matin, à dix heures, au Bois, avec les deux merveilleux grooms importés d'Amérique ;

2° Une promenade à pied, à six heures, dans l'allée des Acacias ;

3° Une apparition à l'Opéra, le soir, à dix heures, dans la loge de madame Norton.

Les deux *nouvelles* furent immédiatement remarquées et appréciées, comme elles méritaient de l'être, par les trente ou quarante personnes qui constituent une sorte de tribunal mystérieux et qui rendent, au nom de tout Paris, des arrêts sans appel. Ces trente ou quarante personnes ont, de temps en temps, la fantaisie de déclarer *délicieuse* telle femme manifestement laide. Cela suffit. Elle paraît *délicieuse* à dater[†] de ce jour.

La beauté des deux sœurs n'était pas discutable. On admira, le matin, leur grâce, leur élégance et leur distinction ; on déclara, dans l'après-midi, qu'elles avaient la démarche précise et hardie de deux jeunes déesses ; et, le soir, ce ne fut qu'un cri sur l'idéale perfection de leurs épaules. La partie était gagnée. Tout Paris, dès lors, eut pour les deux sœurs les yeux du petit marmiton de la rue d'Amsterdam, tout Paris répéta son *Mazette !* bien entendu[†] avec les variantes et les développements imposés par les usages du monde.

Le salon de madame Scott prit immédiatement tournure. . . . Les habitués de trois ou quatre grandes maisons américaines se transportèrent en masse chez les Scott, qui eurent trois cents personnes à leur premier mercredi. Leur cercle, très rapidement, s'accrut ; il y avait un peu de tout dans leur clientèle : des Américains, des Espagnols, des Italiens, des Hongrois, des Russes et même des Parisiens.

Lorsqu'elle avait raconté son histoire à l'abbé Constantin, madame Scott n'avait pas tout dit . . . on ne dit jamais tout. Elle se savait charmante, aimait qu'on s'en aperçût, et ne haïssait pas qu'on le lui dît. . . . En un mot, elle était coquette. Aurait-elle été Parisienne sans cela ? M. Scott avait en sa femme une pleine confiance et lui laissait une entière liberté. Il se montrait peu. . . . C'était un galant homme qui se sentait vaguement embarrassé d'avoir fait un tel mariage, d'avoir épousé tant d'argent. Ayant le goût des affaires, il se plaisait à se consacrer tout entier à l'administration des deux énormes fortunes qui étaient dans ses mains, à les grossir sans cesse, à dire tous les ans à sa femme et à sa belle-sœur . . .

— Vous êtes encore plus riches que l'année dernière. . . .

Non content de veiller avec beaucoup de prudence et d'habileté aux intérêts qu'il avait laissés en Amérique, il se lança, en France, dans de grandes affaires, et réussit à Paris comme il avait réussi à New-York. Pour gagner de l'argent, il n'y a rien de tel que de n'avoir pas besoin d'en gagner.

On fit la cour[†] à madame Scott, on la lui fit énormément . . . on la lui fit en français, en anglais, en italien, en espagnol . . . car elle savait ces quatre langues . . . et voilà encore un avantage que les étrangères ont sur ces pauvres Parisiennes, qui, généralement, ne connaissent que leur langue maternelle et n'ont pas la ressource des passions internationales.

Madame Scott ne prit pas de bâton pour mettre les gens dehors. Elle eut, en même temps, dix, vingt, trente adorateurs. Nul ne put se vanter d'une préférence quelconque, à tous elle opposa la même résistance aimable, enjouée, riante. . . . Il fut clair qu'elle s'amusait du jeu et ne prenait pas un instant la partie au sérieux.[†] Elle jouait pour le plaisir, pour l'honneur, pour l'amour de l'art. M. Scott n'eut jamais la moindre inquiétude ; il avait parfaitement raison d'être tranquille. . . . Bien plus, il jouissait des succès de sa femme ; il était heureux de la voir heureuse. Il l'aimait beaucoup . . . un peu plus qu'elle-même ne l'aimait. Lui, elle l'aimait bien, et voilà tout. Il y a une grande distance entre *bien* et *beaucoup* quand ces deux adverbes sont placés après le verbe : *aimer*.

Quant à Bettina, ce fut autour d'elle une course fantastique, une ronde infernale ! Une telle fortune ! une telle beauté ! Miss Percival était arrivée à Paris le 15 avril ; quinze jours ne s'étaient pas écoulés que les demandes en mariage commençaient à pleuvoir. Dans le cours de cette première année, — Bettina s'était amusée à tenir fort exactement cette petite comptabilité, — dans le cours de cette première année elle aurait pu, si elle avait voulu, se marier trente-quatre fois. . . . Et quelle variété de prétendants !

On demanda sa main pour un jeune exilé qui, dans de certaines éventualités, pouvait être appelé à monter sur un trône, tout petit, il est vrai, mais sur un trône cependant.

On demanda sa main pour un jeune duc, qui ferait grande figure à la cour, lorsque la France, — et cela était inévitable ! — reconnaîtrait ses erreurs et s'inclinerait devant ses maîtres légitimes.

On demanda sa main pour un jeune prince qui aurait sa place sur les marches du trône, lorsque la France, — et cela était inévitable ! — renouerait la chaîne des traditions napoléoniennes.

On demanda sa main pour un jeune député républicain, qui venait[†] de débuter très brillamment à la Chambre, et à qui l'avenir réservait les plus brillantes destinées ; car la République était fondée maintenant en France sur des bases indestructibles.

On demanda sa main pour un jeune Espagnol de la plus haute volée, et on lui donna à entendre que la soirée de contrat aurait lieu[†] dans le palais d'une reine qui ne demeure pas très loin de l'arc de l'Étoile. . . . On trouve, d'ailleurs, son adresse dans l'almanach Bottin . . . car il y a des reines aujourd'hui qui ont leur adresse dans le Bottin, entre un notaire et un herboriste. Il n'y a que les rois de France qui ne demeurent plus en France.

On demanda sa main pour le fils d'un pair d'Angleterre et pour le fils d'un membre de la Chambre des seigneurs de Vienne; sa main pour le fils d'un banquier de Paris et pour le fils d'un ambassadeur de Russie; sa main pour un comte hongrois et pour un prince italien . . . et aussi pour de braves petits jeunes gens qui n'étaient rien, n'avaient rien, ni nom ni fortune. Mais Bettina leur avait accordé un tour de valse, et, se croyant irrésistibles, ils espéraient avoir fait battre son petit cœur.

Rien, jusqu'à présent, ne l'avait fait battre, ce petit cœur, et la réponse pour tous avait été la même:

—Non! . . . non! . . . Encore non! . . . Toujours non!

Quelques jours après cette représentation d'*Aïda*, les deux sœurs avaient eu ensemble une assez longue conversation sur cette grosse, sur cette éternelle question de mariage. Certain nom avait été prononcé par madame Scott, qui avait provoqué de la part de miss Percival le refus le plus net et le plus énergique. Et Suzie, en riant, avait dit à sa sœur:

—Vous serez bien forcée, cependant, Bettina, de finir par vous marier. . . .

—Oui, certainement! . . . Mais je serais si fâchée, Suzie, de me marier sans amour! . . . Il me semble que, pour me résoudre à une chose pareille, j'aurais besoin de me voir tout à fait en danger de mourir vieille fille . . . et je n'en suis[†] pas là!

—Non, pas encore.

—Attendons alors, attendons!

— Attendons ! . . . Mais, parmi tous ces amoureux que vous traînez après vous depuis un an, il y en avait de bien gentils, de bien aimables, et il est vraiment un peu étrange qu'aucun d'eux . . .

— Aucun ! . . . ma Suzie ; aucun, absolument ! Pourquoi ne vous dirais-je pas la vérité ? Est-ce leur faute ? Ont-ils été maladroits ? Auraient-ils pu, en s'y prenant† mieux, trouver le chemin de mon cœur ? Ou bien est-ce ma faute à moi ? Ce chemin de mon cœur serait-il, par hasard,† une vilaine route escarpée, rocailleuse, inaccessible, et par où personne jamais ne passera ? Serais-je une méchante petite créature, sèche, froide, et condamnée à ne jamais aimer ?

— Je ne crois pas. . . .

— Ni moi non plus . . . mais, jusqu'à présent, cependant, voilà mon histoire ! Non, je n'ai rien senti qui ressemblât à de l'amour. . . . Vous riez . . . et pourquoi vous riez, je le devine. . . . Vous vous dites : « Voyez donc cette petite fille qui a la prétention de savoir ce que c'est que d'aimer ! » Vous avez† raison, je ne le sais pas . . . mais je m'en doute† bien un peu. Aimer, n'est-ce pas, ma Suzie, préférer à tous et à toutes une certaine personne ?

— Oui, c'est bien cela.

— N'est-ce pas ne pouvoir se lasser de voir cette personne et de l'entendre ? n'est-ce pas cesser de vivre quand elle n'est plus là, pour recommencer tout de suite à revivre, dès qu'elle reparaît ?

— Oh ! oh ! c'est du grand amour, cela !

— Eh bien, c'est l'amour que je rêve. . . .

— Et c'est l'amour qui ne vient pas ?

— Pas du tout . . . jusqu'à présent. Et cependant elle existe, la personne préférée par moi à tous et à toutes. . . . Savez-vous qui c'est ?

— Non, je ne le sais pas . . . mais je m'en doute bien un peu. . . .

— Oui, c'est vous, ma chérie, et c'est peut-être vous, méchante sœur, qui me rendez à ce point insensible et cruelle. Je vous aime trop. Complet, mon cœur ! Vous l'avez pris tout entier, il n'y a plus de place pour personne. Vous préférer quelqu'un ! Aimer quelqu'un plus que vous ! . . . Je n'en viendrai jamais à bout† ! . . .

— Oh ! que si !

— Oh ! que non ! . . . Aimer autrement . . . peut-être ? . . . mais plus, non. Qu'il ne compte pas là-dessus, ce monsieur que j'attends et qui n'arrive pas.

— Ne craignez rien, ma Betty. Il y aura place dans votre cœur pour tous ceux que vous devez aimer, pour votre mari, pour vos enfants, et cela, sans que j'y perde rien, moi, votre vieille sœur. . . . C'est tout petit, le cœur, et c'est très grand.

Bettina tendrement embrassa sa sœur ; puis, restant là, câline, la tête sur l'épaule de Suzie :

— Si, cependant, cela vous ennuyait de me garder ici près de vous, si vous aviez hâte de vous débarrasser† de moi, savez-vous ce que je ferais ? Je mettrais dans une corbeille les noms de deux de ces messieurs et je tirerais au sort.† . . . Il y en a deux qui, à la rigueur,† ne me seraient pas absolument désagréables.

— Lesquels deux ?

— Cherchez. . . .

— Le prince Romanelli. . . .

— Et d'un ! . . . A l'autre ! . . .

— M. de Montessan. . . .

— Et de deux ! . . . C'est cela† même : oui, ces deux là seraient acceptables, mais seulement acceptables . . . et ce n'est pas assez.

Voilà pourquoi Bettina attendait avec une extrême impatience le jour du départ et de l'installation à Longueval. . . . Elle se sentait un peu lasse de tant de plaisirs, de tant de succès, et de tant de demandes en mariage. Le tourbillon parisien, dès son arrivée, l'avait prise, et pour ne plus la lâcher. Pas une heure de halte ni de repos. . . . Elle éprouvait le besoin d'être livrée à elle-même, à elle seule, pendant quelques jours au moins, de se consulter et de s'interroger à loisir dans la pleine tranquillité et dans la pleine solitude de la campagne, de s'appartenir enfin. . . . 5

Aussi Bettina était-elle toute guillerette et toute joyeuse, en montant, le 14 juin, à midi, dans le train qui devait la conduire à Longueval. Dès qu'elle se vit seule, dans un coupé, avec sa sœur :

— Ah ! s'écria-t-elle, que je suis contente ! Respirons un peu. 10 En tête† à tête avec vous pendant dix jours ! car les Norton et les Turner ne viennent que le 25, n'est-ce pas ?

— Oui, seulement le 25.

— Nous allons passer notre vie à cheval, en voiture, dans les bois, dans les champs. Dix jours de liberté ! Et, pendant ces 15 dix jours, plus d'amoureux ! plus d'amoureux ! Et tous ces amoureux, de quoi, mon Dieu, étaient-ils amoureux ? De moi ou de mon argent ? Le voilà le mystère, l'impénétrable mystère !

La machine siffla, le train s'ébranla lentement. Une idée un peu folle passa par la tête de Bettina ; elle se pencha par la 20 portière et s'écria, en accompagnant ses paroles d'un petit salut de la main :

— Adieu ! mes amoureux, adieu !

Puis elle se rejeta brusquement dans un coin du coupé, prise d'un accès de fou rire. 25

— Oh ! Suzie ! Suzie !

— Qu'est-ce qu'il y a ?

— Un homme avec un drapeau rouge à la main. . . . Il m'a vue ! il m'a entendue ! . . . Et il a eu l'air† si étonné ! . . .

— Vous êtes si déraisonnable ! 30

— Oui, c'est vrai, d'avoir ainsi crié par la portière, . . . mais pas d'être heureuse de penser que nous allons vivre seules, toutes les deux, en garçons.

— Seules ! . . . seules ! . . . Pas tant que cela. Nous avons, pour commencer, deux personnes ce soir, à dîner.

— Ah ! c'est vrai . . . mais ces deux personnes-là, je ne serai pas du tout fâchée de les revoir. . . . Oui, je serai très contente de revoir le vieux curé, et surtout le jeune officier. . . .

— Comment ! surtout ?

— Certainement . . . parce que c'était si touchant ce que ce notaire de Souvigny nous a raconté l'autre jour ! c'est si bien ce qu'il a fait ce grand artilleur, quand il était tout petit, si bien, si bien, si bien, que je chercherai ce soir une occasion de lui dire ce que j'en pense . . . et je la trouverai !

Puis Bettina, changeant brusquement le cours de la conversation :

— On a bien envoyé la dépêche télégraphique à Edwards, hier, pour les poneys ?

— Oui, hier, avant le dîner. . . .

— Oh ! vous me laisserez les conduire jusqu'au château ; cela m'amusera tant de traverser la ville et de faire une belle entrée arrondie, sans ralentir, dans la cour, devant le perron ! . . . Dites . . . vous voulez† bien ?

— Oui, oui, c'est entendu, vous conduirez les poneys.

— Ah ! que vous êtes gentille, ma Suzie !

Edwards, c'était le piqueur. Il était arrivé depuis trois jours au château pour l'installation des écuries et l'organisation du service. Il daigna venir lui-même au-devant† de madame Scott et de miss Percival. Il amena les quatre poneys attelés sur le duc. Il attendait dans la cour de la gare, et en nombreuse compagnie. On peut dire que tout Souvigny était là. Le passage des poneys à travers la grande rue de la ville avait fait sensation. Les habitants s'étaient précipités hors de leurs maisons et s'interrogeant avidement :

— Qu'est-ce que c'est que ça ? se disaient-ils ; qu'est-ce que c'est ?

Quelques personnes avaient hasardé cette opinion :

— Un cirque ambulant peut-être. . . .

Mais de toutes parts on s'était récrié :

— Vous n'avez donc pas vu comme c'était tenu . . . et la voiture . . . et les harnais qui brillaient comme de l'or . . . et les 5 petits chevaux avec leurs roses blanches de chaque côté de la tête.

La foule s'était entassée dans la cour de la gare, et les curieux alors avaient appris qu'ils allaient avoir l'honneur d'assister à l'arrivée des châtelaines de Longueval.

Il y eut un certain désenchantement quand les deux sœurs se 10 montrèrent, fort jolies, mais fort simples, dans leurs costumes de voyage. Ces braves gens s'attendaient† un peu à l'apparition de deux princesses de féerie, vêtues de soie et de brocart, étincelantes de rubis et de diamants. Mais ils ouvrirent de grands yeux,† quand ils virent Bettina faire lentement le tour des quatre 15 poneys, en les caressant, l'un après l'autre, légèrement de la main et en examinant d'un air entendu les détails de l'attelage. Il ne déplaisait pas à Bettina — force est bien de le reconnaître — de faire un certain effet sur cette foule de bourgeois ébahis.

Sa petite revue passée, Bettina, sans trop se hâter, ôta ses 20 longs gants de suède et les remplaça par de gros gants de peau de daim pris dans la pochette du tablier de la voiture. Puis elle se glissa en quelque sorte sur le siège, à la place d'Edwards, en recevant de lui les rênes et le fouet avec une extrême dextérité et sans que les chevaux, fort excités, eussent eu le temps de 25 s'apercevoir du changement de main. Madame Scott s'assit à côté de sa sœur. Les poneys piétinaient, dansaient, menaçaient de pointer.

— Mademoiselle fera attention, dit Edwards ; les poneys sont très en l'air aujourd'hui. 30

— N'ayez pas peur, répondit Bettina, je les connais.

Miss Percival avait la main à la fois† très ferme, très légère et très juste. Elle contint les poneys pendant quelques instants, les forçant à se tenir bien à leur place dans le rang ; puis, enveloppant les deux chevaux de pointe d'une double et longue ondulation de son fouet, elle enleva son petit attelage d'un seul coup, avec une incomparable virtuosité et sortit magistralement de la cour de la gare, au milieu d'un long murmure d'étonnement et d'admiration.

Le trot des quatre poneys sonnait sur les petits pavés pointus de Souvigny. Bettina, jusqu'à la sortie de la ville, leur fit garder une allure un peu serrée ; mais, dès qu'elle aperçut devant elle deux kilomètres de grande route,† sans montée ni descente, elle laissa les poneys se mettre progressivement dans leur train . . . et ils avaient un train d'enfer.†

— Oh ! comme je suis heureuse, Suzie ! s'écria-t-elle. Allons-nous trotter et galoper toutes seules sur ces routes-là. . . . Voulez-vous, Suzie, conduire les poneys ? C'est un tel plaisir quand on peut ainsi leur permettre de marcher ! Ils sont si allants et si sages ! Tenez, prenez les rênes.

— Non, gardez-les ; cela m'amuse plus de vous voir vous amuser.

— Oh ! quant† à m'amuser, je m'amuse ! J'aime tant cela . . . mener à quatre, avec de l'espace pour courir ! . . . A Paris, même le matin, je n'osais plus . . . on me regardait trop . . . cela me gênait. . . . Et ici . . . personne ! . . . personne ! . . . personne !

Au moment où Bettina, déjà un peu grisée de grand air† et de liberté, lançait triomphalement ces trois : « Personne ! personne ! personne ! » un cavalier se montrait, s'avançant, au pas,† à la rencontre de la voiture.

C'était Paul de Lavardens. . . . Il faisait là le guet† depuis une heure pour avoir le plaisir de voir passer les Américaines.

— Vous vous trompez, dit Suzie à Bettina, voici quelqu'un.

— Un paysan. . . . Ça ne compte pas . . . les paysans ; ça ne demande pas ma main.

— Ce n'est pas du tout un paysan. Regardez.

Paul de Lavardens, en passant à côté de la voiture, fit aux deux sœurs un salut de la plus haute correction et qui sentait tout à fait son Parisien.

Les poneys couraient si vite que la rencontre eut la rapidité 5 d'un éclair. Bettina s'écria :

— Qu'est-ce que c'est que ce monsieur qui vient† de nous saluer ?

— J'ai eu à peine† le temps de le voir, mais il me semble bien que je le connais. 10

— Vous le connaissez ?

— Oui, et je parierais que je l'ai vu cet hiver chez moi.

— Mon Dieu ! serait-ce un des trente-quatre ? Est-ce que cela va encore recommencer ?

VI

Ce même jour, à sept heures et demie, Jean venait chercher le curé au presbytère et tous deux prenaient la route du château.

Depuis un mois, une véritable armée d'ouvriers s'était emparée de Longueval ; les auberges et les cabarets du village faisaient fortune. D'immenses voitures de déménagement avaient apporté de Paris des cargaisons de meubles et de tapisseries. Quarante-huit heures avant l'arrivée de madame Scott, mademoiselle Marbeau, la directrice de la poste, et madame Lormier, la mairesse, s'étaient faufilées dans le château ; leurs récits faisaient tourner les têtes. Les vieux meubles avaient disparu, relégués dans les combles ; on se promenait au milieu d'un véritable entassement de merveilles. Et les écuries ! et les remises ! Un train spécial avait amené de Paris, sous la haute surveillance d'Edwards, une dizaine de voitures, et quelles voitures ! une vingtaine de chevaux, et quels chevaux !

L'abbé Constantin croyait savoir ce que c'était que le luxe. Il dînait, une fois par an, chez son évêque, monseigneur Foubert, prélat aimable et riche, qui recevait assez largement. Le curé, jusqu'alors, avait pensé qu'il ne pouvait y avoir rien au monde de plus somptueux que le palais épiscopal de Souvigny, que les châteaux de Lavardens et de Longueval. . . . Il commençait à comprendre d'après[†] ce qu'il entendait[†] dire des splendeurs nouvelles de Longueval, que le luxe des grandes maisons d'aujourd'hui devait dépasser singulièrement le luxe sérieux et sévère des vieilles maisons d'autrefois.

Dès que le curé et Jean eurent fait quelques pas dans l'allée du parc qui conduisait au château :

— Regarde, Jean, dit le curé, quel changement ! Toute cette partie du parc était laissée à l'abandon . . . et voilà que tout est sablé, ratissé. . . . Je ne vais plus me sentir ici chez moi comme autrefois. . . . Ça va être trop beau ! Je ne vais plus retrouver mon vieux fauteuil de velours marron, où il m'arrivait si souvent de m'endormir après dîner. Et si je m'endors ce soir, que deviendrai-je ? Tu feras attention, Jean. . . . Si tu vois que je commence à m'engourdir, tu t'approcheras de moi et tu me pinceras un peu au bras, par derrière. Tu me le promets ?

— Oui, mon parrain, je vous le promets.

Jean ne prêtait qu'une attention médiocre aux discours du curé. Il se sentait une extrême impatience de revoir madame Scott et miss Percival ; mais cette impatience était mêlée d'une très vive inquiétude. Allait-il les retrouver, dans le grand salon de Longueval, telles qu'il les avait vues dans la petite salle à manger du presbytère ? Peut-être, au lieu† de ces deux femmes si parfaitement simples et familières, s'amusant de cette dînette improvisée, et qui, dès le premier jour, l'avaient accueilli avec tant de grâce et de familiarité, peut-être allait-il retrouver deux jolies poupées mondaines, élégantes, froides et correctes. Son impression première allait-elle s'effacer ? . . . disparaître ? Allait-elle, au contraire,† se faire en son cœur plus douce et plus profonde encore ?

Ils montèrent les six marches du perron et furent reçus dans le vestibule par deux grands valets† de pied de l'air le plus digne et le plus imposant. Ce vestibule, autrefois, était une immense pièce glaciale et nue dans ses murs de pierre ; ces murs, aujourd'hui, étaient recouverts d'admirables tapisseries qui représentaient des sujets mythologiques. C'est à peine si le curé les regarda, ces tapisseries ; et ce fut assez pour s'apercevoir que les déesses qui se promenaient à travers ces verdures portaient des costumes d'une antique simplicité.

L'un des valets de pied ouvrit à deux battants† la porte du

grand salon. C'était là que, d'ordinaire, se tenait la vieille marquise, à droite de la haute cheminée, et à gauche se trouvait le fauteuil marron. Plus de fauteuil marron ! Le vieux meuble de l'Empire, qui était le fond de l'arrangement du salon, avait été remplacé par un merveilleux meuble de tapisserie de la fin du siècle dernier. Puis un tas de petits fauteuils et de petits poufs, de toutes les couleurs et de toutes les formes, étaient jetés çà† et là avec une apparence de désordre qui était le comble de l'art.

Madame Scott, en voyant entrer le curé et Jean, se leva, et, allant à leur rencontre† :

— Que vous êtes aimable, dit-elle, monsieur le curé, d'être venu. . . . Et vous aussi, monsieur . . . et que je suis contente de vous revoir, vous, mes premiers, mes seuls amis dans ce pays !

Jean respira. C'était bien la même femme.

— Voulez-vous me permettre, ajouta madame Scott, de vous présenter mes enfants ? . . . Harry et Bella . . . venez.

Harry était un très gentil petit garçon de six ans et Bella une très jolie petite fille de cinq ans ; ils avaient les grands yeux noirs de leur mère et ses cheveux dorés.

Après que le curé eut embrassé les deux enfants, Harry, qui regardait avec admiration l'uniforme de Jean, dit à sa mère :

— Et le militaire, maman, faut-il l'embrasser aussi, le militaire ?

— Si vous voulez, répondit madame Scott, et s'il le veut† bien.

Les deux enfants étaient, une minute après, installés sur les genoux de Jean et l'accablaient de questions.

— Vous êtes officier ?

— Oui, je suis officier.

— Dans quoi ?

— Dans l'artillerie.

— Les artilleurs . . . c'est ceux qui tirent le canon. . . . Oh ! que cela m'amuserait d'entendre tirer le canon et d'être tout près !

— Vous nous emmènerez, un jour, quand on le tirera, le canon ; dites, voulez-vous ?

Madame Scott, pendant ce temps, causait avec le curé, et Jean, tout† en répondant aux questions des enfants, regardait madame Scott. Elle avait une robe de mousseline blanche, mais la 5 mousseline disparaissait sous une avalanche de petits volants de valenciennes. La robe était largement décolletée par devant, en carré. Les bras nus jusqu'au coude, un gros bouquet de roses rouges à l'ouverture du corsage, une rose rouge fixée dans les cheveux par une agrafe de diamants, rien de plus. 10

Madame Scott s'aperçut tout à coup que Jean était occupé militairement par ses deux enfants :

— Oh ! comme je vous demande pardon, monsieur ! Harry ! Bella ! . . .

— Je vous en prie, madame, laissez-les-moi. 15

— Et comme je suis contrariée de vous faire dîner si tard ! Ma sœur n'est pas encore descendue. Ah ! la voici.

Bettina fit son entrée. La même robe de mousseline blanche, le même petit fouillis de dentelles, les mêmes roses rouges, la même grâce, la même beauté, et le même accueil riant, aimable, 20 ouvert.

— Je suis votre servante, monsieur le curé. M'avez-vous pardonné mon horrible indiscrétion de l'autre jour ?

Puis, se tournant vers Jean et lui tendant la main :

— Bonjour, monsieur . . . monsieur . . . Bon ! voilà que 25 je ne me rappelle plus votre nom . . . et cependant il me semble que nous sommes déjà de vieux amis ? . . .

— Jean Reynaud.

— Jean Reynaud . . . c'est cela.† Bonjour, monsieur Reynaud ! . . . mais, je vous en préviens loyalement, quand nous 30 serons tout à fait de vieux amis, dans une huitaine de jours, je vous appellerai monsieur Jean. . . . C'est un très joli nom, Jean.

On annonça le dîner. Les gouvernantes vinrent chercher les enfants. Madame Scott prit le bras du curé ; Bettina, le bras de Jean. . . . Jusqu'au moment de l'apparition de Bettina, Jean s'était dit : « La plus jolie, c'est madame Scott ! » Quand il vit la petite main de Bettina se glisser sous son bras et quand elle tourna vers lui son délicieux visage, il se dit : « La plus jolie, c'est miss Percival ! » Mais il retomba dans ses perplexités quand il fut assis entre les deux sœurs. S'il regardait à droite, c'est de ce côté qu'il se sentait menacé de devenir amoureux . . . et s'il regardait à gauche, le danger se déplaçait tout aussitôt et passait à gauche.

La conversation s'engagea, facile, animée, confiante. . . . Les deux sœurs étaient ravies. Elles avaient déjà fait une promenade à pied, dans le parc. Elles se promettaient de faire, le lendemain, une longue promenade à cheval dans la forêt. Monter à cheval, c'était leur passion, leur folie ! Et c'était aussi la passion de Jean, si bien† qu'au bout d'un quart d'heure, on le priait d'être† de cette promenade du lendemain. Il acceptait avec joie. Personne, mieux que lui, ne connaissait les environs : c'était son pays. Il serait si heureux de leur en faire les honneurs et de leur montrer une foule de petits endroits ravissants, que jamais, sans lui, elles ne sauraient découvrir !

— Vous montez† tous les jours à cheval ? lui demanda Bettina.

— Tous les jours et généralement deux fois. Le matin pour mon service et le soir pour mon plaisir.

— De bonne heure,† le matin ?

— A cinq heures et demie. . . .

— A cinq heures et demie, tous les matins ?

— Oui, le dimanche excepté.

— Alors, vous vous levez ?

— A quatre heures et demie.

— Et il fait jour† ?

— Oh ! en ce moment, grand jour.

— Se lever ainsi à quatre heures et demie, c'est admirable ! . . . Nous finissons notre journée, bien souvent, à l'heure où vous la commencez. Et vous l'aimez, votre métier ?

— Beaucoup, mademoiselle. Cela est si bon d'avoir son existence toute droite devant soi, avec des devoirs bien nets et bien définis !

— Cependant, dit madame Scott, ne pas être son maître, avoir toujours à obéir ! . . .

— C'est là peut-être ce qui me va le mieux. Il n'y a rien de plus facile que d'obéir . . . et puis, apprendre à obéir, c'est la seule façon d'apprendre à commander.

— Ah ! ce que vous dites là, comme cela doit être vrai !

— Oui, sans doute, continua le curé, mais ce qu'il ne vous dit pas, c'est qu'il est l'officier le plus distingué de son régiment, c'est que . . .

— Mon parrain, je vous en prie. . . .

Le curé, malgré la résistance de Jean, allait se lancer dans le panégyrique de son filleul, quand Bettina, intervenant :

— C'est inutile, monsieur le curé, ne dites rien. . . . Tout ce que vous diriez, nous le savons. Nous avons eu l'indiscrétion de prendre des renseignements† sur monsieur . . . Oh ! j'ai failli dire monsieur Jean . . . sur monsieur Reynaud. Eh bien, ils ont été admirables, les renseignements !

— Je serais curieux de savoir, dit Jean.

— Rien . . . rien, vous ne saurez rien. Je ne veux pas vous faire rougir, et vous seriez obligé de rougir.

Puis, se tournant vers le curé :

— Mais sur vous aussi, monsieur le curé, nous avons eu des renseignements. Il paraît que vous êtes un saint. . . .

— Oh ! quant à cela, c'est bien vrai ! s'écria Jean.

Ce fut le curé, cette fois, qui coupa court à l'éloquence de Jean. Le dîner était sur le point† de finir. Ce dîner, le vieux prêtre ne l'avait pas traversé sans bien des émotions. A plusieurs reprises, on lui avait présenté des constructions savantes et compliquées sur lesquelles il n'avait osé porter qu'une main tremblante; il avait peur de tout voir s'écrouler: 5 les châteaux branlants de gelée, les pyramides de truffes, les forteresses de crême, les bastions de pâtisserie, les rochers de glace. L'abbé Constantin dîna, d'ailleurs, de grand appétit et ne recula pas devant deux ou trois verres de vin de Champagne. Il ne haïssait pas la bonne chère. La perfection n'est pas de ce 10 monde, et, si la gourmandise était, comme on le dit, un péché capital, que de bons curés iraient en enfer!

Le café était servi sur la terrasse, devant le château; on entendait au loin† le son un peu fêlé de la vieille horloge du village qui sonnait neuf heures. Les prés et les bois s'endormaient. 15 Le parc ne gardait plus que de longues lignes indécises et ondulantes. La lune, lentement, émergeait de la cime des grands arbres.

Bettina prit sur la table une boîte de cigares.

— Fumez-vous? dit-elle à Jean.

20 — Oui, mademoiselle.

— Prenez alors, monsieur Jean . . . Tant pis,† je l'ai dit. . . . Prenez. . . . Mais non . . . écoutez d'abord.

Et, parlant à demi-voix, tout† en lui présentant la boîte de cigares:

25 — Il fait nuit† maintenant, vous pourrez rougir tout à votre aise. Je vais† vous dire ce que je ne vous ai pas dit tout à l'heure,† à table. Un vieux notaire de Souvigny, qui a été votre tuteur, est venu voir ma sœur à Paris pour le payement du château. Il nous a raconté ce que vous avez fait, après la 30 mort de votre père, quand vous n'étiez qu'un enfant, ce que vous avez fait pour cette pauvre mère et pour cette pauvre jeune fille. Nous avons été très attendries de cela, ma sœur et moi.

— Oui, monsieur, continua madame Scott, et c'est pour cela que nous vous avons reçu aujourd'hui avec un tel plaisir. Nous n'aurions pas fait à tout le monde le même accueil, vous pouvez en être persuadé. Eh bien, prenez votre cigare maintenant ; ma sœur est là qui attend.

Jean ne trouva pas une parole à répondre, Bettina était là, plantée devant lui, avec la boîte de cigares dans ses deux mains, les yeux fixés franchement sur le visage de Jean. Elle goûtait ce plaisir très réel et très vif qui peut se traduire par cette phrase :

— Il me semble que je regarde un brave garçon.

— Et maintenant, dit madame Scott, asseyons-nous là, devant cette nuit charmante. . . . Prenez votre café. . . . Fumez. . . .

— Et ne parlons pas, Suzie, ne parlons pas. Ce grand silence de la campagne après ce grand vacarme de Paris, c'est adorable ! Restons là, sans rien dire. Regardons le ciel, la lune et les étoiles.

Tous les quatre, avec beaucoup de plaisir, exécutèrent ce petit programme. Suzie et Bettina, calmes, reposées, dans un absolu détachement de leur existence de la veille, se prenant[†] déjà de tendresse pour ce pays qui venait[†] de les recevoir et qui allait[†] les garder.

Jean était moins tranquille ; les paroles de miss Percival lui avaient causé une émotion profonde ; son cœur n'avait pas encore repris tout à fait sa marche régulière.

Mais, de tous le plus heureux, c'était l'abbé Constantin. Il avait joui délicieusement de ce petit épisode qui avait mis la modestie de Jean à une si rude et si douce épreuve. L'abbé portait à son filleul une telle affection ! Le plus tendre des pères n'a jamais aimé d'un meilleur cœur le plus cher de ses enfants. Quand le vieux curé regardait le jeune officier, il lui arrivait souvent de se dire :

— Le ciel m'a comblé ! je suis prêtre et j'ai un fils !

L'abbé se perdit dans une très agréable rêverie ; il se retrouvait chez lui, il se retrouvait trop chez lui ; ses idées peu[†] à peu se confondirent et s'embrouillèrent. La rêverie devint de l'engourdissement, l'engourdissement de la somnolence ; le désastre fut bientôt complet, irréparable. Le curé s'endormit et s'endormit profondément. Ce dîner merveilleux et les deux ou trois verres de vin de Champagne étaient† bien pour quelque chose dans la catastrophe.

Jean ne s'était aperçu de rien. Il avait oublié la promesse faite à son parrain. Et pourquoi l'avait-il oubliée ? Parce que madame Scott et miss Percival s'étaient avisées† de mettre les pieds sur des tabourets de jardin placés devant leurs grands fauteuils d'osier rembourrés de coussins. Puis elles s'étaient paresseusement renversées dans les fauteuils, et leurs jupes de mousseline s'étaient relevées un peu, très peu, mais assez cependant pour dégager quatre petits pieds, dont les lignes apparaissaient très distinctes et très nettes sous deux jolis flots de dentelles blanches éclairées par la lune. Jean les regardait, ces petits pieds, et se posait cette question :

— Lesquels sont les plus petits ?

Pendant qu'il cherchait à résoudre ce problème, Bettina, tout d'un coup,† lui dit à voix basse :

— Monsieur Jean ! monsieur Jean !

— Mademoiselle ! . . .

— Regardez donc monsieur le curé, il dort.

— Oh ! Mon Dieu ! c'est ma faute.

— Comment ! votre faute ? demanda madame Scott, également à voix basse.

— Oui. . . . Mon parrain se lève de grand matin† et se couche de très bonne heure† ; il m'avait bien recommandé de l'empêcher de s'endormir. Très souvent, chez madame de Longueval, après le dîner, il s'assoupissait. Vous l'avez accueilli avec une telle bonté, qu'il a repris ses habitudes d'autrefois.

— Et comme il a† eu raison ! dit Bettina. Ne faisons pas de bruit, ne le réveillons pas.

— Vous êtes excellente, mademoiselle ; mais la soirée devient un peu fraîche.

— Ah ! c'est vrai. . . . Il pourrait s'enrhumer. Attendez, je vais aller chercher un de mes manteaux.

— Je crois, mademoiselle, qu'il vaudrait mieux† tâcher de le réveiller adroitement pour qu'il ne se doute† pas que vous l'avez vu dormir. 5

— Laissez-moi† faire, dit Bettina. Suzie, chantons ensemble, tout bas d'abord, puis nous élèverons peu† à peu la voix. . . . Chantons. 10

— Volontiers ! . . . mais que chanter ?

— Chantons : « *Something Childish*. . . . » Les paroles sont de circonstance.†

Suzie et Bettina se mirent† à chanter :

> If I had but two little wings 15
> And were a little feathery bird, *etc.*

Leurs voix douces et pénétrantes avaient, dans ce profond silence, une exquise sonorité. L'abbé n'entendait rien, ne bougeait pas. Charmé de ce petit concert, Jean se disait :

— Pourvu† que mon parrain ne se réveille pas trop tôt ! 20

Les voix cependant devenaient plus claires et plus hautes :

> But in my sleep to you I fly ;
> I 'm always with you in my sleep ! *etc.* . . .

Et l'abbé continuait à ne pas broncher.

— Comme il dort ! . . . dit Suzie ; c'est un crime de le réveiller. 25

— Il le faut bien ! . . . Plus haut, Suzie, plus haut !

Suzie et Bettina laissèrent éclater librement l'accord de leurs deux voix :

> Sleep stays not, though a monarch bids ; 30
> So I love to wake ere break of day, *etc.*

Le curé se réveilla en sursaut.† Après un court moment d'inquiétude, il respira. . . . Personne, évidemment, ne s'était aperçu qu'il avait dormi. Il se redressa, se détira prudemment, lentement. . . . Il était sauvé !

Un quart d'heure après, les deux sœurs reconduisaient le curé et Jean jusqu'à la petite porte du parc, qui ouvrait sur le village, à une centaine de pas du presbytère. On approchait de cette porte, lorsque Bettina dit à Jean tout à coup :

— Ah ! monsieur, j'ai depuis trois heures une question à vous adresser. Ce matin, en arrivant, nous avons rencontré, sur la route, un jeune homme mince, avec des moustaches blondes ; il montait un cheval noir ; il nous a saluées au passage.†

— C'est Paul de Lavardens, un de mes amis. Il a déjà eu l'honneur de vous être présenté . . . mais un peu vaguement. Aussi son ambition est-elle de vous être représenté.

— Eh bien, vous nous l'amènerez un de ces jours, dit madame Scott.

— A partir† du 25, s'écria Bettina. . . . Pas avant ! pas avant ! Personne jusque-là, nous ne voulons voir personne, excepté vous, monsieur Jean . . . mais vous, c'est très extraordinaire, et je ne sais pas trop comment cela s'est fait, vous n'êtes déjà plus personne pour nous. . . . Le compliment n'est peut-être pas très bien tourné, mais ne vous y trompez pas, c'est un compliment. . . . J'ai l'intention d'être excessivement aimable en vous parlant ainsi.

— Et vous l'êtes, mademoiselle.

— Tant† mieux si j'ai eu le bonheur de me faire bien comprendre. . . . Au revoir, monsieur Jean, et à demain.

Madame Scott et miss Percival reprirent lentement le chemin du château.

— Et maintenant, Suzie, dit Bettina, grondez-moi bien fort. . . . Je m'y attends.† . . . Je l'ai mérité.

— Vous gronder ! Pourquoi ?

— Vous allez dire, j'en suis sûre, que j'ai été trop familière avec ce jeune homme.

— Non, je ne vous dirai pas cela. . . . Ce jeune homme a fait sur moi, dès le premier jour, la plus heureuse impression. Il m'inspire une confiance absolue.

— Et à moi aussi.

— Je suis persuadée qu'il sera bien de nous appliquer toutes deux à nous en faire un ami.

— De tout mon cœur, quant à moi. . . . D'autant[†] mieux, Suzie, que j'ai déjà vu bien des jeunes gens, depuis que nous vivons en France. . . . Oh ! oui, j'en ai vu ! . . . eh bien, celui-là est le premier — positivement le premier — dans les yeux duquel je n'ai pas lu clairement cette phrase : « Mon Dieu ! que je serais donc content d'épouser les millions de cette petite personne-là ! » Cela était écrit distinctement dans les yeux de tous les autres . . . et pas dans ses yeux à lui. . . . Là-dessus, nous voilà rentrées. . . . Bonsoir, Suzie, et à demain.

Madame Scott alla voir ses enfants et les embrasser endormis.

Bettina resta longuement accoudée sur la balustrade de son balcon.

— Il me semble, se disait-elle, que je vais aimer ce pays.

VII

Le lendemain matin, au retour de la manœuvre, Paul de Lavardens attendait Jean dans la cour du quartier. Il lui laissa à peine le temps de descendre de cheval . . . et, dès qu'il le tint seul† à seul :

5 — Raconte, lui dit-il, vite, ton dîner d'hier ; raconte. Je les avais vues, moi, le matin. La petite conduisait quatre poneys noirs . . . et avec une crânerie ! . . . Je les ai saluées. . . . As-tu parlé de moi ? M'ont-elles reconnu ? Quand me conduis-tu à Longueval ? Mais réponds-moi, réponds-moi donc !

10 — Répondre ! répondre ! . . . A quelle question d'abord ?

— A la dernière.

— Quand je te conduirai à Longueval ?

— Oui.

— Eh bien, dans une dizaine de jours. Elles ne veulent voir 15 personne en ce moment.

— Alors tu ne retourneras à Longueval que dans une dizaine de jours ?

— Oh ! moi, j'y retourne aujourd'hui, à quatre heures. Mais, moi, je ne compte pas. Jean Reynaud, le filleul du curé ! . . . 20 Voilà pourquoi j'ai pénétré si facilement dans la confiance de ces deux charmantes femmes ; je me suis présenté sous le patronage et avec la garantie de l'Église. . . . Et puis on a découvert que je pouvais rendre de petits services ; je connais très bien le pays ; on va m'utiliser comme guide. . . . Enfin, 25 je ne suis personne, moi, tandis que toi, comte Paul de Lavardens, toi, tu es quelqu'un ! Aussi, ne crains rien, ton tour viendra avec les fêtes et les bals, quand il faudra briller, quand il faudra danser. Tu resplendiras alors de tout ton éclat et je rentrerai fort humblement dans mon obscurité.

— Moque-toi† de moi tant qu'il te plaira. . . . Il n'en est pas moins vrai que, pendant ces dix jours, tu vas prendre une avance† . . . une avance ! . . .

— Comment ! une avance ?

— Voyons, Jean, est-ce que tu veux essayer de me faire croire que tu n'es pas déjà amoureux de l'une de ces deux femmes ? Est-ce possible ? Tant de beauté ! tant de luxe ! Oh ! . . . le luxe peut-être encore plus que la beauté ! Le luxe, à ce degré-là, ça me renverse, ça me bouleverse ! Ces quatre poneys noirs avec leurs roses blanches en cocarde, j'en ai rêvé cette nuit.† . . . Et cette petite . . . Bettina . . . n'est-ce pas ?

— Oui, Bettina.

— Bettina ! . . . comtesse Bettina de Lavardens ! Est-ce assez gentil ! Et quelle perfection de petit mari elle aurait en moi ! Être le mari d'une femme follement riche, voilà ma destinée ! Ce n'est pas aussi facile qu'on peut le supposer ! Il faut savoir être riche, et j'aurais ce talent-là. J'ai fait mes preuves ; j'en ai déjà mangé, de l'argent . . . et si maman ne m'avait pas arrêté ! . . . Mais je suis tout prêt à recommencer. . . . Ah ! comme elle serait heureuse avec moi ! Je lui ferais une existence de princesse de féerie. . . . Elle sentirait dans son luxe le goût, l'art et la science de son mari. . . . Je passerais ma vie à la pomponner, à la bichonner, à la promener triomphante à travers le monde. J'étudierais sa beauté pour bien la mettre dans le cadre qui lui conviendrait. . . . « S'il n'était pas là, se dirait-elle, je serais moins jolie. » . . . Je ne saurais pas seulement l'aimer, je saurais l'amuser. . . . Elle en aurait pour son argent, et† de l'amour, et du plaisir ! . . . Allons, Jean, un bon mouvement ; conduis-moi aujourd'hui chez madame Scott.

— Je ne peux pas, je t'assure.

— Eh bien, dans dix jours seulement ; mais alors, je t'en

préviens, je m'installe à Longueval et je n'en bouge plus. D'abord, ça fera plaisir à maman. Elle est encore un peu montée contre les Américaines ; elle dit qu'elle s'arrangera pour ne pas les voir, mais je la connais, maman ! Le jour où je lui dirai, un soir, en rentrant : « Maman, j'ai gagné le cœur d'une charmante petite personne qui est affligée d'un capital d'une vingtaine de millions et d'un revenu de deux ou trois millions . . . » On exagère quand on parle de centaines de millions ; les vrais chiffres, les voilà et ils me suffisent . . . Ce soir-là, elle sera enchantée, maman . . . parce que, au fond,[†] qu'est-ce qu'elle désire pour moi ? Ce que toutes les bonnes mères désirent pour leurs fils, surtout quand leurs fils ont fait des bêtises . . . un riche mariage. Tu auras seulement, dans dix jours, la complaisance de me prévenir. . . .

— Tu es fou. Je ne pense et ne penserai pas plus. . . .

— Écoute, Jean, tu es la sagesse et la raison mêmes, d'accord ; mais tu auras[†] beau dire et beau faire. . . . Écoute, et rappelle-toi bien ce que je te dis là : Jean, tu seras amoureux dans cette maison-là.

— Je ne crois pas, répondit Jean en riant.

— Et moi, j'en suis sûr. . . . Au revoir ! je te laisse à tes affaires.

Jean, ce matin-là, était parfaitement sincère. Il avait très bien dormi la nuit précédente. Sa seconde entrevue avec les deux sœurs avait, comme par enchantement, dissipé le léger trouble qui avait agité son âme, après la première rencontre. Il se préparait à les revoir avec beaucoup de plaisir, mais avec beaucoup de tranquillité. Il y avait trop d'argent dans cette maison-là, pour que l'amour d'un pauvre diable tel que lui pût y trouver place honnêtement.

L'amitié, c'était une autre affaire. De tout son cœur il souhaitait, et de toutes ses forces il allait essayer de s'établir bien paisiblement dans l'estime et l'affection de ces deux femmes.

Il tâcherait de ne pas trop s'apercevoir de la beauté de Suzie et de Bettina ; il tâcherait de ne plus s'oublier, comme il l'avait fait la veille, dans la contemplation de ces quatre petits pieds posés sur deux tabourets de jardin. On lui avait dit bien franchement, bien cordialement : « Vous serez notre ami. » Voilà 5 tout ce qu'il désirait ! Être leur ami ! Et il le serait !

Tout, pendant les dix jours qui suivirent, tout conspira pour le succès de cette entreprise. Suzie, Bettina, l'abbé et Jean vécurent de la même vie, dans la plus étroite et dans la plus confiante intimité. Les deux sœurs faisaient, dans la matinée, 10 de longues promenades en voiture avec le curé ; et, dans l'après-midi, avec Jean, de longues promenades à cheval.

Jean ne cherchait plus à analyser ses sentiments ; il ne se demandait plus s'il allait pencher à droite ou à gauche. Il se sentait pour ces deux femmes un égal dévouement, une égale 15 affection. Il était complètement heureux, complètement tranquille. Donc il n'était pas amoureux, car l'amour et la tranquillité font rarement bon ménage† dans le même cœur.

Jean, cependant, voyait, avec un peu d'inquiétude et de tristesse, s'approcher le jour qui allait amener à Longueval les 20 Turner, les Norton, et tout le flot de la colonie américaine. Ce jour vint très vite.

Le vendredi 24 juin, à quatre heures, Jean arrivait au château. Bettina le reçut toute chagrine.

— Quel contretemps ! lui dit-elle, voilà ma sœur souffrante. 25 Un peu de migraine, rien du tout.† Il n'y paraîtra plus demain ; mais enfin je n'ose pas aller me promener avec vous toute seule. Là-bas, en Amérique, j'oserais ; mais ici, non, n'est-ce pas ?

— Assurément non, répondit Jean.

— Je suis obligée de vous renvoyer, et cela me fait beaucoup 30 de peine.

— Cela me fait, à moi aussi, beaucoup de peine de m'en aller et de perdre cette dernière journée que j'espérais passer avec vous. Cependant, puisqu'il le faut ! . . . Je viendrai demain prendre des nouvelles† de votre sœur.

— Elle vous en donnera elle-même. Je vous le répète, ce n'est rien du tout. Mais ne vous sauvez pas si vite, je vous en prie. Voulez-vous m'accorder un tout petit quart d'heure d'entretien ? J'ai à vous parler. Asseyez-vous là . . . et maintenant, écoutez-moi bien. Nous avions, ma sœur et moi, l'intention de vous bloquer ce soir, après dîner, dans un petit coin du salon, et c'est alors ma sœur qui aurait porté la parole,† c'est elle qui vous aurait dit ce que je vais essayer de dire en notre nom à toutes les deux. Mais je suis un peu émue. . . . Ne riez pas ; c'est très sérieux. Nous voulions vous remercier, toutes les deux, d'avoir été, depuis notre arrivée, si aimable, si bon, si dévoué, si . . .

— Oh ! mademoiselle, je vous en prie, c'est à moi . . .

— Oh ! ne m'interrompez pas . . . vous allez† m'embrouiller. . . . Je ne saurai plus m'en tirer.† . . . Je maintiens, d'ailleurs, que c'est à nous de remercier, pas à vous. Nous arrivions ici comme deux étrangères. Nous avons eu la joie d'y trouver tout de suite† des amis . . . oui, des amis. Vous nous avez prises par la main . . . vous nous avez menées chez nos fermiers, chez nos gardes, pendant que votre parrain nous menait chez ses pauvres . . . et partout on vous aimait tant, que, tout de suite, de confiance,† on s'est mis,† sur votre recommandation, à nous aimer un peu. . . . On vous adore dans ce pays, le savez-vous ?

— J'y suis né. . . . Tous ces braves gens me connaissent depuis mon enfance et me sont reconnaissants de ce que mon grand-père et mon père ont fait pour eux. Et puis . . . je suis de leur race, de la race des paysans. Mon arrière-grand-père était un cultivateur de Bargecourt, un village à deux lieues d'ici.

— Oh ! oh ! vous avez l'air† bien fier de cela !

— Ni fier, ni humilié.

— Je vous demande pardon . . . vous avez eu un petit mouvement d'orgueil! Eh bien, je vous répondrai, moi, que l'arrière-grand-père de ma mère était fermier en Bretagne. Il s'en est allé au Canada, à la fin du siècle dernier, quand le Canada était encore la France. . . . Et vous l'aimez beaucoup, 5 ce pays où vous êtes né?

— Beaucoup. Je serai bientôt peut-être obligé de le quitter.

— Pourquoi cela?

— Quand j'aurai de l'avancement, on m'enverra dans un autre régiment, et je me promènerai de garnison en garnison. 10 . . . Mais assurément, quand je serai un vieux commandant ou un vieux colonel en retraite,† je viendrai vivre et mourir ici, dans la petite maison de mon père.

— Toujours tout seul?

— Pourquoi tout seul? . . . J'espère bien que non. . . . 15

— Vous avez l'intention de vous marier?

— Oui, certainement.

— Et vous cherchez à vous marier?

— Non, on peut penser à se marier, mais on ne doit pas chercher à se marier. 20

— Il y a cependant des gens qui cherchent . . . allez, je vous en réponds† . . . et même, vous, on a voulu vous marier.

— Comment savez-vous cela?

— Ah! je connais si bien toutes vos petites affaires! . . . Vous êtes ce qui s'appelle *un bon parti* . . . et, je le répète, on 25 a voulu vous marier.

— Qui vous a dit cela?

— Monsieur le curé.

— Mon parrain a† eu tort, dit Jean, avec une certaine vivacité.

— Non, non, il n'a pas eu tort. Si quelqu'un a été coupable, 30 c'est moi, et coupable par charité, non par curiosité, je vous le jure. J'ai découvert que votre parrain n'était jamais si heureux que lorsqu'il parlait de vous; alors moi, le matin, quand je suis seule avec lui, pendant nos promenades, pour lui faire plaisir, je lui parle de vous, et il me raconte votre histoire. Vous êtes à votre aise,† vous êtes très à votre aise. . . . Vous recevez du gouvernement deux cent treize francs par mois . . . et des centimes. Est-ce bien cela ?

—Oui, dit Jean, se décidant à prendre de bonne grâce son parti† des indiscrétions du curé.

—Vous avez huit mille francs de rente.

—A peu près,† pas tout à fait.†

—Ajoutez à cela votre maison, qui vaut une trentaine de mille francs. Enfin vous êtes dans une excellente situation, et on a déjà demandé votre main.

—Demandé ma main ? . . . Non ! non !

—Si† fait ! si fait ! Deux fois . . . et vous avez refusé deux très beaux mariages, deux très belles dots, si vous aimez mieux.† C'est la même chose pour tant de gens ! Deux cent mille francs d'une part, trois cent mille de l'autre. Il paraît que c'est énorme pour le pays ! donc vous avez refusé. Dites-moi pourquoi ? Si vous saviez comme je suis curieuse de savoir !

—Eh bien, il s'agissait† de deux jeunes filles charmantes . . .

—C'est entendu ! on dit cela toujours.

—Mais que je connaissais à peine.† On m'a forcé,—car je faisais résistance,—on m'a forcé à passer avec elles deux ou trois soirées, l'hiver dernier.

—Et alors ?

—Alors, je ne sais pas trop comment vous expliquer, je n'ai éprouvé aucun sentiment d'embarras, d'émotion, d'inquiétude, de trouble. . . .

—Enfin, dit résolument Bettina, pas le plus léger soupçon d'amour.

—Non, pas le moindre . . . et je suis rentré bien sagement dans mon petit trou de garçon ; car je pense qu'il vaut† mieux ne pas se marier que se marier sans amour. Voilà mon opinion.

— Et c'est aussi la mienne.

Elle le regardait. Il la regardait. Et brusquement, à leur grande surprise à tous les deux, ils ne trouvèrent plus rien à se dire, plus rien du tout.

Par bonheur,† à ce moment, Harry et Bella, avec de grands cris de joie, se précipitèrent dans le salon. 5

— Monsieur Jean ! monsieur Jean ! vous êtes là, monsieur Jean ? Venez voir nos poneys.

— Ah ! dit Bettina, d'une voix un peu incertaine, Edwards est revenu tout à l'heure† de Paris, et il a ramené pour les enfants 10 des poneys microscopiques. Allons les voir, voulez-vous ?

On alla voir les poneys, qui étaient dignes, en effet, de figurer dans les écuries du roi de Lilliput.

VIII

Trois semaines se sont écoulées. Jean, le lendemain, doit partir avec son régiment pour les écoles à feu ; il va vivre de son existence de soldat : dix jours d'étapes sur les grandes routes pour l'aller et le retour, et dix jours sous la tente, au camp de Cercottes, dans la forêt d'Orléans. Le régiment rentrera à Souvigny le 10 août.

Jean n'est plus tranquille ; Jean n'est plus heureux. Le moment de ce départ, il le voit venir avec impatience et, en même temps, avec effroi. . . . Avec impatience, car il souffre un véritable martyre ; il a hâte[†] d'y échapper. . . . Avec effroi, car, pendant ces vingt jours, sans la voir, sans lui parler, sans elle enfin, que deviendra-t-il ? Elle, c'est Bettina ! il l'adore !

Depuis quand ? Depuis le premier jour, depuis cette rencontre, au mois de mai, dans le jardin du curé ! Voilà la vérité ! Mais Jean lutte et se débat contre cette vérité. Il croit n'aimer Bettina que depuis ce jour où tous deux causaient gaiement, amicalement, dans le petit salon. Elle était assise sur le divan bleu, près de la fenêtre, et, tout[†] en bavardant, s'amusait à réparer le désordre de la toilette d'une princesse japonaise, une poupée de Bella, qui traînait sur un fauteuil, et que Bettina, machinalement, avait ramassée.

Pourquoi la fantaisie vint-elle à miss Percival de lui parler de ces deux jeunes filles qu'il aurait pu épouser ? La question, d'ailleurs, ne l'avait nullement embarrassé. Il répondit que, s'il ne s'était senti alors aucun goût pour le mariage, c'est que ses entrevues avec ces deux jeunes filles ne lui avaient causé aucune émotion, aucune agitation. Il souriait en parlant ainsi ; mais, quelques instants après, il ne souriait plus. Ces émotions, ces agitations, il apprenait soudainement à les connaître. Jean ne se fit pas d'illusion† ; il se rendit compte† de la profondeur de la blessure ; elle avait porté en plein cœur.

Jean, cependant, ne s'abandonna pas. Ce jour-là même, en partant, il se disait : « Oui, c'est grave, très grave, mais j'en reviendrai. » Il cherchait une excuse à sa folie ; il s'en prenait† aux circonstances. Cette délicieuse fille, depuis dix jours, avait été trop à lui, trop à lui seul ! Comment résister à une pareille tentation ? Il s'était grisé de son charme, de sa grâce, de sa beauté. Mais, le lendemain, vingt personnes allaient arriver au château, et ce serait la fin de cette dangereuse intimité. Il aurait du courage, s'écarterait, se perdrait dans la foule, verrait Bettina moins souvent et de moins près. . . . Ne plus la voir, il n'y pouvait songer ! Il voulait rester l'ami de Bettina, puisqu'il ne pouvait être que son ami. Car il était une autre pensée qui n'entrait même pas dans l'esprit de Jean ; cette pensée ne lui paraissait pas extravagante, elle lui paraissait monstrueuse. Il n'y avait pas au monde de plus honnête homme que Jean, et l'argent de Bettina lui faisait horreur, positivement horreur.

La foule, en effet, à partir† du 25 juin, avait envahi Longueval. Madame Norton était arrivée avec son fils Daniel Norton, et madame Turner avec son fils Philip Turner ; tous deux, le jeune Daniel et le jeune Philip, faisaient partie de la fameuse confrérie des Trente-Quatre. C'étaient d'anciens amis ; Bettina les avait traités comme tels, et leur avait déclaré, avec une pleine franchise, qu'ils perdaient absolument leur temps ; ils ne se décourageaient pas cependant, et formaient le centre d'une petite cour fort empressée, fort assidue autour de Bettina.

Paul de Lavardens avait fait son entrée en scène† et était devenu très rapidement l'ami de tout le monde. Il avait reçu cette éducation brillante et compliquée d'un jeune homme qui se destine au plaisir ; dès† qu'il ne s'agissait† que de s'amuser : cheval, croquet, lawn-tennis, polo, danse, charades et comédies, il était prêt à tout, il excellait en tout. Sa supériorité éclata, s'imposa. Paul devint, de l'assentiment général, le directeur et l'organisateur des fêtes de Longueval.

Bettina n'eut pas une minute d'hésitation. Jean venait[†] de lui présenter Paul de Lavardens, et celui-ci achevait à peine[†] le petit compliment de rigueur,[†] que Bettina, se penchant vers Suzie, lui disait à l'oreille :

— Le trente-cinquième !

Elle fit cependant bon accueil à Paul, et si bon accueil, que celui-ci, pendant quelques jours, eut la faiblesse de s'y méprendre. Il crut que ses grâces personnelles lui valaient cette très aimable et très cordiale réception. C'était une grande erreur. Il avait été présenté par Jean ; il était l'ami de Jean ; aux yeux de Bettina, tout son mérite était là.

Le château de madame Scott était ville ouverte ; on n'était pas invité pour un soir, mais pour tous les soirs ; et Paul, avec enthousiasme, s'était mis[†] à venir tous les soirs. Son rêve était réalisé. Il retrouvait Paris à Longueval !

Seulement Paul n'était ni sot ni fat. Sans nul doute il était, de la part[†] de miss Percival, l'objet d'attentions et de faveurs toutes particulières ; elle se plaisait à causer longuement, très longuement, seule à seul[†] avec lui . . . mais quel était l'éternel, l'inépuisable sujet de ces conversations ? Jean, encore Jean, toujours Jean !

Paul était léger, dissipé, frivole, mais il devenait sérieux dès qu'il était question de Jean ; il savait l'apprécier, il savait l'aimer. Rien ne lui était plus doux, rien ne lui était plus facile que de dire de son ami d'enfance tout le bien qu'il en pensait. Et comme il voyait que Bettina prenait grand plaisir à l'écouter, Paul donnait libre cours à son éloquence.

Seulement Paul — et c'était bien son droit — voulut, un soir, avoir le bénéfice de sa conduite chevaleresque. Il venait[†] de causer pendant un quart d'heure avec Bettina. L'entretien terminé, il s'en était allé trouver Jean, de l'autre côté[†] du salon, et lui avait dit :

— Tu m'as laissé le champ libre . . . et je me suis lancé intrépidement sur miss Percival.

— Eh bien, tu n'as pas lieu[†] d'être mécontent du résultat de l'entreprise. Vous voilà les meilleurs amis du monde.

— Oui, certainement. . . . Ça va . . . ça va . . . et ça ne va pas. Il n'y a rien de plus aimable et de plus charmant que miss Percival ; mais enfin, j'ai du mérite à le reconnaître, car là, entre nous, elle me fait jouer un rôle ingrat et ridicule, un rôle qui n'est pas de mon âge. J'ai l'âge des amoureux, moi, je n'ai pas l'âge des confidents.

— Des confidents ?

— Oui, mon cher, des confidents ! Voilà mon emploi dans cette maison ! Tu nous regardais tout à l'heure.[†] . . . Oh ! j'ai de bons yeux. . . . Tu nous regardais. . . . Eh bien, sais-tu de quoi nous parlions ? De toi, mon cher, de toi, rien que de toi ! Et c'est la même chose tous les soirs. Des questions à n'en plus finir[†] : « Vous avez été élevés ensemble ? Vous avez pris des leçons tous les deux avec l'abbé Constantin ? Il sera bientôt capitaine ? Et après ? — Commandant. — Et après ? — Colonel, *et cætera* . . . *et cætera*. . . . » Ah ! Jean, mon ami Jean, si tu voulais faire un beau rêve ! . . .

Jean se fâcha, s'emporta presque. Paul fut très étonné de cet accès de brusque irritation.

— Qu'est-ce que tu as[†] ? Il me semble que je n'ai rien dit. . . .

— Je te demande pardon. J'ai eu[†] tort ; mais aussi pourquoi te passe-t-il par la tête une idée tellement absurde ? . . .

— Absurde ? . . . Je ne vois pas. . . . Je l'ai bien eue pour mon propre compte,[†] cette idée absurde.

— Ah ! toi. . . .

— Comment ! ah ! moi ? . . . Si je l'ai eue, tu peux l'avoir. . . . Tu vaux[†] mieux que moi. . . .

— Paul, je t'en supplie ! . . .

Le malaise de Jean était évident.

— N'en parlons plus . . . n'en parlons plus. . . . Ce que je voulais† dire, en somme,† c'est que miss Percival me trouve bien gentil, bien gentil, bien gentil ; mais, quant à me prendre au sérieux,† jamais elle ne me prendra au sérieux, cette petite personne-là. Je vais me rabattre sur madame Scott, sans grande confiance. . . . Vois-tu, Jean, je m'amuserai dans cette maison-là, mais je n'y ferai pas mes frais.

Paul se rabattit sur madame Scott ; mais, dès le lendemain, il eut la surprise de se heurter à Jean ; celui-ci, en effet, se mit† à venir prendre place, très régulièrement, dans le cercle particulier de madame Scott, qui, tout comme Bettina, avait sa petite cour. Ce que Jean venait chercher là, c'était une protection, un abri, un lieu d'asile.

Le jour de ce redoutable entretien sur les mariages sans amour, Bettina, elle aussi, pour la première fois, avait senti soudainement s'éveiller en elle ce besoin d'aimer qui dort, mais pas très profondément, dans le cœur de toutes les jeunes filles. La sensation avait été la même, au même moment, et dans l'âme de Jean, et dans l'âme de Bettina. Lui, épouvanté, s'était brusquement rejeté en arrière. Elle, au contraire,† s'était laissée aller, dans toute la naïveté de sa pleine innocence, à cet accès d'émotion et d'attendrissement.

Elle attendait l'amour . . . si c'était l'amour ! L'homme qui devait être sa pensée, sa vie, son âme, si c'était lui, ce Jean ! Pourquoi non ? Elle le connaissait mieux qu'elle ne connaissait tous ceux qui, depuis un an, avaient tourbillonné autour de sa fortune, et dans ce qu'elle savait de lui, rien n'était fait pour décourager la confiance et l'amour d'une honnête fille. Loin de là !

Tous deux, en somme, faisaient bien, tous deux étaient dans le devoir et dans la vérité : elle, en se livrant ; lui, en résistant ;

elle, en ne songeant pas une minute à l'obscurité de Jean, à sa pauvreté ; lui, en reculant devant cette montagne de millions, comme il aurait reculé devant un crime ; elle, en pensant qu'elle n'avait pas le droit de discuter avec l'amour ; lui, en pensant qu'il n'avait pas le droit de discuter avec l'honneur.

Voilà pourquoi, à mesure† que Bettina se faisait plus tendre et s'abandonnait avec plus de franchise au premier appel de l'amour, voilà pourquoi Jean devenait, de jour† en jour, plus sombre et plus agité. Il n'avait pas seulement peur d'aimer ; il avait peur d'être aimé.

Il aurait dû rester chez lui, ne pas venir. . . . Il avait essayé, il n'avait pas pu. . . . La tentation était trop forte et l'emportait.† Il arrivait donc. . . . Elle venait aussitôt à lui, les mains tendues, le sourire aux lèvres et le cœur dans les yeux. Tout en elle disait : « Essayons de nous aimer, et, si nous pouvons, aimons-nous ! »

La peur le prenait. Ces deux mains qui allaient au-devant† de l'étreinte de ses deux mains, c'est à peine† s'il osait les toucher. Il tâchait d'échapper à ce regard qui, tendre et riant, inquiet et curieux, cherchait son regard. Il tremblait devant la nécessité de parler à Bettina, devant la nécessité de l'entendre. C'est alors que Jean se réfugiait auprès de madame Scott, et c'est alors que madame Scott recueillait des paroles indécises, émues, troublées, qui ne s'adressaient pas à elle et qu'elle prenait pour elle, cependant.

Suzie ne pouvait guère ne pas s'y méprendre. Des sentiments encore vagues et confus qui l'agitaient, Bettina ne lui avait rien dit. Elle gardait et caressait le secret de son amour naissant, comme un avare garde et caresse les premiers louis de son trésor. . . . Le jour où elle verrait clair dans son cœur, le jour où elle serait sûre d'aimer, ah ! comme elle parlerait ce jour-là, et comme elle serait heureuse de tout dire à Suzie ! . . .

Madame Scott avait fini par s'attribuer l'honneur de cette

mélancolie de Jean, qui prenait, de jour en jour, un caractère plus marqué. Elle en était flattée, — il ne déplaît jamais à une femme de se croire aimée, — elle en était donc flattée, mais chagrine en même temps. Elle tenait Jean en grande estime, en grande affection : cela l'affligeait de penser que, s'il était triste et malheureux, c'était à cause† d'elle.

Suzie avait, d'ailleurs, le sentiment de son innocence. Avec les autres, quelquefois elle était coquette, très coquette. Les tourmenter un peu, était-ce donc bien un grand crime ? Ils n'avaient rien à faire, les autres, ils n'étaient bons à rien ; cela les occupait, tout† en l'amusant ; cela leur faisait passer le temps, et à elle aussi. . . . Mais Suzie n'avait pas à se reprocher d'avoir été coquette avec Jean. Elle se rendait compte† de son mérite et de sa supériorité ; il valait† mieux que les autres ; il était homme à souffrir sérieusement, et c'est là ce que madame Scott ne voulait pas. Aussi déjà, à deux ou trois reprises, avait-elle été sur le point de lui parler bien doucement, bien affectueusement, mais elle avait réfléchi. . . . Jean allait partir pour une vingtaine de jours ; à son retour, si cela était encore nécessaire, elle lui ferait un peu de morale† et saurait s'y prendre† de telle manière, que l'amour ne viendrait pas se jeter sottement à la traverse† de leur amitié.

Donc Jean partait le lendemain. . . . Bettina avait insisté de toutes ses forces pour qu'il vînt passer cette journée à Longueval et pour qu'il dînât au château. Jean avait refusé, alléguant ses occupations à la veille de ce départ. Il arriva le soir, vers dix heures et demie ; il était venu à pied ; à plusieurs reprises, sur la route, il avait failli retourner sur ses pas.†

— Si j'avais du courage, se disait-il, je ne la reverrais pas. Je pars demain et ne reviendrai plus à Souvigny, tant qu'elle y sera. . . . Ma résolution est prise et bien prise.

Mais il continua son chemin ; il voulait la voir encore . . . pour la dernière fois.

Dès qu'il entra dans le salon, Bettina accourut au-devant de lui :

— C'est vous, enfin ! . . . Comme il est tard !

— J'ai été très occupé.

— Et vous partez demain ?

— Oui, demain.

— De bonne heure[†] ?

— A cinq heures du matin.

— Vous vous en irez[†] par la route qui longe le mur du parc et traverse ensuite le village ?

— Oui, c'est bien par cette route-là que nous partons.

— Pourquoi est-ce d'aussi grand matin[†] ? Je serais allée vous voir passer et vous dire adieu du haut de la terrasse.

Bettina tenait et gardait dans sa main la main de Jean, qui était brûlante. Celui-ci se dégagea douloureusement, par un effort.

— Il faut, dit-il, que j'aille saluer votre sœur.

— Tout à l'heure[†] ! . . . elle ne vous a pas vu . . . il y a dix personnes autour d'elle. . . . Venez vous asseoir un peu, là, près de moi.

Il fut obligé de s'asseoir à ses côtés.

— Nous aussi, dit-elle, nous allons partir.

— Vous ?

— Oui, nous avons reçu, il y a une heure, une dépêche de mon beau-frère qui nous a causé une bien grande joie. Il ne devait revenir que dans un mois ; il revient dans douze jours ; il s'embarque après-demain matin à New-York sur *le Labrador*. . . . Nous irons l'attendre au Havre. . . . Nous partirons après-demain. Nous emmenons les enfants. Cela leur fera du bien, de passer une dizaine de jours au bord de la mer. . . . Comme il sera content, mon beau-frère, de vous connaître ! . . . De vous connaître ? . . . Il vous connaît déjà. Nous lui avons parlé de vous dans toutes nos lettres. Je suis sûre que vous

vous entendrez à merveille† avec lui. Il est excellent. . . . Vous resterez là-bas combien de temps ?

— Vingt jours.

— Vingt jours . . . dans un camp ?

— Oui, mademoiselle, le camp de Cercottes.

— Au milieu de la forêt d'Orléans. Je me suis fait expliquer cela ce matin par votre parrain. Je suis heureuse assurément d'aller au-devant† de mon beau-frère, mais, en même temps, je suis un peu fâchée de partir ; sans cela, tous les matins, j'aurais fait une petite visite à votre parrain. . . . Il m'aurait donné de vos nouvelles. Voulez-vous, dans une dizaine de jours, écrire à ma sœur une toute petite lettre de quatre lignes, — cela ne vous prendra pas beaucoup de temps, — pour lui dire comment vous vous portez et pour lui dire aussi que vous ne nous oubliez pas ?

— Oh ! quant à vous oublier . . . quant à perdre le souvenir de votre grâce, de votre bonté . . . jamais ! mademoiselle ! jamais !

Sa voix était tremblante. Il eut peur† de son émotion. Il se leva.

— Je vous assure, mademoiselle, qu'il faut que j'aille saluer votre sœur. . . . Elle me regarde. . . . Elle doit être étonnée. . . .

Il traversa le salon. Bettina le suivait des yeux. Madame Norton venait† de s'installer au piano pour faire valser les jeunes gens. Paul de Lavardens s'approcha de miss Percival :

— Voulez-vous me faire l'honneur, mademoiselle ? . . .

— Mon Dieu, répondit-elle, je crois bien que je viens† de promettre à monsieur Jean.

— Enfin, si ce n'est pas lui . . . ce sera moi.

— C'est entendu.

Bettina s'en alla vers Jean, qui venait† de s'asseoir près de madame Scott.

— J'ai fait un gros mensonge, lui dit-elle. M. de Lavardens

est venu m'inviter, et je lui ai répondu que je vous avais promis cette valse. . . . Oui, n'est-ce pas ? vous voulez† bien.

La tenir dans ses bras, respirer le parfum de ses cheveux ! . . . Jean se sentait à bout† de forces. . . . Il n'osa pas accepter.

— Je suis désolé, mademoiselle. Je ne peux pas . . . je suis souffrant ce soir. J'ai tenu† à venir, pour ne pas partir sans vous avoir fait mes adieux ; mais danser, non, je ne pourrais pas.

Madame Norton venait† d'attaquer le prélude de la valse.

— Eh bien, dit Paul arrivant tout joyeux, est-ce lui, mademoiselle ? est-ce moi ?

— C'est vous, dit-elle tristement, sans quitter Jean des yeux. Elle était très troublée et répondit cela sans trop savoir ce qu'elle disait. Elle regretta tout de suite d'avoir accepté. Elle aurait voulu rester là, près de lui. . . . Mais il était trop tard. Paul la prit par la main, et l'entraîna.

Jean s'était levé. Il les regardait tous les deux, Bettina et Paul. Un nuage lui passa devant les yeux. Il souffrait cruellement.

— Je n'ai qu'une chose à faire, se dit-il, profiter de cette valse et partir. . . . Demain matin, j'écrirai quelques lignes à madame Scott pour m'excuser.

Il gagna la porte. . . . Il ne regardait plus Bettina. . . . S'il l'avait regardée, il serait resté.

Mais Bettina le regardait, et, tout d'un coup,† elle dit à Paul :

— Je vous remercie beaucoup, monsieur, mais je suis un peu lasse. . . . Arrêtons-nous, je vous prie. . . . Vous me pardonnez, n'est-ce pas ?

Paul lui offrit le bras.

— Non, je vous remercie, dit-elle.

La porte venait† de se refermer. Jean n'était plus là. Bettina traversa le salon en courant. Paul resta seul, fort étonné, ne comprenant rien à ce qui se passait.†

Jean était déjà sur le perron, lorsqu'il s'entendit appeler :

— Monsieur Jean ! monsieur Jean !

Il s'arrêta, se retourna. Elle était près de lui.

— Vous partez . . . sans me dire adieu !

— Je vous demande pardon, je suis très fatigué.

— Alors, ne vous en allez† pas ainsi à pied. Le temps est menaçant.

Elle étendit la main au dehors.

— Tenez, il pleut déjà.

— Oh ! à peine.

— Venez prendre une tasse de thé dans le petit salon, seul avec moi, et je vous ferai reconduire en voiture.

Et, se retournant vers l'un des valets de pied :

— Dites que l'on attelle un coupé tout de suite.

— Non, mademoiselle, je vous en prie. Le grand air† me remettra . . . j'ai besoin de marcher. . . . Laissez-moi partir.

— Partez donc ! . . . Mais vous n'avez pas de manteau. . . . Prenez un châle pour vous envelopper.

— Je n'aurai pas froid . . . tandis que vous . . . avec cette robe ouverte . . . Je pars pour vous obliger à rentrer.

Sans même lui tendre la main, il se sauva et descendit rapidement les marches du perron.

—Si je touche sa main, se disait-il, je suis perdu, mon secret m'échappe.

Son secret ! Il ne savait pas que Bettina lisait dans son cœur comme dans un livre grand ouvert.

Lorsque Jean fut arrivé au bas du perron, il eut un court moment d'hésitation. Cette phrase était sur ses lèvres :

— Je vous aime ! je vous adore ! Et c'est pour cela que je ne veux plus vous voir !

Mais, cette phrase, il ne la prononce pas, il s'éloigne, il se perd bientôt dans la nuit. . . . Bettina reste là, sur le perron, dans l'encadrement lumineux de la porte. De grosses gouttes de pluie chassées par le vent viennent cingler ses épaules nues et la font frissonner; elle n'y prend garde†; elle entend distinctement battre son cœur.

— Je savais bien qu'il m'aimait, se dit-elle; mais je suis bien sûre maintenant que moi aussi . . . oh! oui . . . moi aussi . . .

Tout d'un coup, dans l'une des grandes glaces de la porte, elle voit le reflet des deux valets de pied qui se tiennent† debout, immobiles, près de la table de chêne du vestibule. Bettina fait quelques pas dans la direction du salon. . . . Elle entend des éclats de rire et la valse qui continue. Elle s'arrête. Elle veut être seule, et, s'adressant à l'un des domestiques:

— Allez dire à madame que j'étais fatiguée, que je suis remontée chez moi.

Annie, sa femme de chambre, sommeillait dans un fauteuil. Elle la renvoie. . . . Elle se déshabillera elle-même. Elle se laisse tomber sur un divan. Elle éprouve un accablement délicieux.

La porte de sa chambre s'ouvre. C'est madame Scott.

— Vous êtes souffrante, Bettina?

— Ah! Suzie, c'est vous, ma Suzie! Comme vous avez† eu raison de venir! . . . Asseyez-vous tout près de moi.

Elle se blottit comme un enfant dans les bras de sa sœur, caressant de sa tête brûlante les fraîches épaules de Suzie, puis, soudainement, éclate en sanglots, en gros sanglots qui l'étouffent, la suffoquent.

— Bettina, ma chérie, qu'est-ce que vous avez†?

— Rien, rien . . . ce sont les nerfs . . . c'est la joie!

— La joie?

— Oui . . . oui . . . attendez . . . mais laissez-moi pleurer un peu. Cela me fait tant de bien! . . . N'ayez† pas peur surtout . . . n'ayez pas peur.

Sous les baisers de sa sœur, Bettina se calme, s'apaise.

— C'est fini, c'est fini, et je vais vous dire. . . . J'ai à vous parler de Jean.

— Jean ! vous l'appelez Jean ?

— Oui, je l'appelle Jean. . . . N'avez-vous pas remarqué, depuis quelque temps, comme il était triste et comme il avait l'air malheureux ?

— Oui, en effet.

— Il arrivait . . . il allait tout de suite s'installer près de vous et restait là, absorbé, silencieux, à tel point que, pendant plusieurs jours, je me suis demandé,† — pardonnez-moi de vous parler avec une telle franchise, c'est mon habitude, vous savez, — je me suis demandé si ce n'était pas vous qu'il aimait, ma Suzie. Vous êtes si charmante, et cela aurait été si naturel ! Mais non, ce n'était pas vous, c'était moi !

— Vous ?

— Oui, moi ! Écoutez bien. . . . C'est à peine s'il osait me regarder. Il m'évitait, il me fuyait. . . . Il avait peur de moi, peur évidemment. Eh bien, là, en bonne justice, suis-je à faire peur† ? Non, n'est-ce pas ?

— Assurément non.

— Ah ! c'est que ce n'était pas de moi qu'il avait peur, c'était de mon argent, de mon affreux argent ! Cet argent qui les attire tous, les autres, et les tente si fort, cet argent l'effraye, lui, et le désespère . . . parce qu'il n'est pas comme les autres, lui, parce que . . .

— Ma chérie, prenez garde,† vous vous trompez peut-être. . . .

— Oh ! non, non, je ne me trompe pas. Tout à l'heure,† sur le perron, il partait, il m'a dit quelques paroles. Ces paroles n'étaient rien . . . mais si vous aviez vu son trouble, malgré tous ses efforts pour se contraindre ! . . . Suzie, ma Suzie, par la tendresse que je vous porte, et Dieu sait quelle est cette tendresse ! voici ma conviction, mon absolue conviction : si, au lieu† d'être miss Percival, j'avais été une pauvre petite fille sans argent, tout à l'heure Jean m'aurait pris la main et m'aurait dit qu'il m'aimait, et, s'il m'avait ainsi parlé, savez-vous ce que je lui aurais répondu ?

— Que vous l'aimiez, vous aussi.

— Oui, et voilà pourquoi je suis si heureuse. C'est une idée fixe chez moi d'adorer l'homme qui sera mon mari. . . . Eh bien, je ne dis pas que j'adore Jean, non, pas encore . . . mais enfin cela commence, Suzie . . . et cela commence si doucement !

— Bettina, je suis inquiète de vous voir dans cette exaltation. Je veux[†] bien que M. Reynaud ait pour vous beaucoup d'affection. . . .

— Oh ! plus que cela, plus que cela.

— Beaucoup d'amour, si vous voulez. Oui, vous avez[†] raison, vous avez bien vu. . . . Il vous aime . . . et n'êtes-vous pas digne, ma chérie, de tout l'amour qu'on aura pour vous ? Quant à Jean, — cela se gagne[†] décidément, voilà que, moi aussi, je l'appelle Jean, — eh bien, vous savez ce que je pense de lui. Bien souvent, toutes les deux, depuis un mois, nous avons eu occasion de nous dire. . . . Je le place très haut, très haut. . . . Mais enfin, malgré cela, est-ce bien le mari qui vous convient ?

— Oui, si je l'aime.

— J'essaye de vous parler raison et vous me parlez toujours. . . . J'ai, Bettina, une expérience que vous ne pouvez pas avoir. . . . Comprenez-moi bien. . . . Dès notre arrivée à Paris, nous avons été lancées dans un monde très brillant, très aristocratique . . . vous pourriez être déjà, si vous l'aviez voulu, marquise ou princesse. . . .

— Oui, mais je ne l'ai pas voulu.

— Vous sera-t-il tout à fait indifférent de vous appeler madame Reynaud ?

— Absolument, si je l'aime. . . .

— Ah ! vous revenez toujours. . . .

— C'est que c'est la vraie question, il n'y en a pas d'autre . . . et je veux être raisonnable à mon tour. Cette question, je vous accorde qu'elle n'est pas tout à fait résolue, et que je me suis peut-être un peu trop vite monté† la tête. Vous voyez comme je suis raisonnable. Jean part demain. Je ne le reverrai que dans vingt jours. Je vais, pendant ces vingt jours, avoir tout le temps† de m'interroger, de me consulter, de bien savoir, enfin, ce qui se passe en moi. Sous mes airs évaporés, je suis sérieuse et réfléchie. . . . Vous le reconnaissez ?

— Oui, je le reconnais.

— Eh bien, je vous adresse cette prière comme je l'adresserais à notre mère, si elle était là. Si dans vingt jours, je vous dis : « Suzie, je suis certaine de l'aimer ! » me permettrez-vous d'aller à lui, moi-même, toute seule, et de lui demander s'il me veut pour femme ? C'est ce que vous avez fait avec Richard. . . . Dites, Suzie, me le permettrez-vous ?

— Oui, je vous le permettrai.

Bettina embrasse sa sœur et lui murmure ces deux mots à l'oreille :

— Merci, maman !

— Maman ! maman ! c'est ainsi que vous m'appeliez, quand vous étiez une enfant . . . quand nous étions seules au monde, toutes les deux, quand je vous déshabillais le soir, à New-York, dans notre pauvre chambre, quand je vous tenais dans mes bras, quand je vous couchais dans votre petit lit, quand je vous chantais des chansons pour vous endormir. Et, depuis lors, Bettina, je n'ai eu qu'un désir au monde, votre bonheur. C'est pour cela que je vous demande de bien réfléchir. Ne me répondez pas . . . ne parlons plus de cela. Je veux vous laisser bien calme, bien tranquille. Vous avez renvoyé Annie. . . . Voulez-vous que, ce soir encore, je sois votre petite maman, que je vous déshabille, que je vous couche comme autrefois ?

— Oui, je le veux† bien.

— Et, quand vous serez couchée, vous me promettez d'être bien sage ?

— Sage comme une image.†

— Vous ferez tout ce que vous pourrez pour vous endormir ?

— Tout ce que je pourrai. . . . 5

— Bien gentiment, sans penser† à rien ?

— Bien gentiment, sans penser à rien.

— A la bonne heure† !

Dix minutes après, la jolie tête de Bettina reposait doucement parmi les broderies et les dentelles. Suzie disait à sa sœur : 10

— Je vais en bas† retrouver tout ce monde qui m'ennuie beaucoup ce soir. Avant de rentrer chez moi, je viendrai voir si vous dormez. Ne parlez pas. . . . Endormez-vous.

Elle sortit. Bettina resta seule. Elle fut honnête. Elle fit, pour s'endormir, les efforts les plus sincères. Elle n'y réussit 15 qu'à moitié. Elle tomba dans un demi-sommeil, dans un engourdissement qui la laissa flottante entre le rêve et la réalité. Elle avait promis de ne penser à rien et elle pensait à lui cependant, toujours à lui, rien qu'à lui, mais vaguement, confusément. Combien de temps se passa, elle n'aurait su le dire. Tout à 20 coup, il lui sembla qu'on marchait dans sa chambre ; elle entr'ouvrit les yeux et crut reconnaître sa sœur. D'une voix tout ensommeillée, elle lui dit :

— Vous savez ? je l'aime.

— Chut. . . . Dormez ! dormez ! 25

— Je dors . . . je dors.

Elle s'endormit pour tout de bon† ; moins profondément cependant qu'à l'ordinaire,† car, vers quatre heures du matin, un bruit la réveilla en sursaut† qui, la veille, n'aurait aucunement troublé son sommeil. Une pluie tombait, torrentielle, et venait 30 battre contre les deux grandes fenêtres de la chambre de Bettina.

— Oh ! la pluie, se dit-elle ; il va être mouillé !

Ce fut sa première pensée. Elle se lève, traverse la chambre, pieds nus, entr'ouvre un volet. Le jour était venu, gris, bas, lourd ; le ciel était chargé d'eau ; le vent soufflait en tempête et faisait, par rafales, tourbilloner la pluie.

5 Bettina ne se recouche pas. Elle sent qu'il lui serait tout à fait impossible de se rendormir. Elle met un peignoir et reste là devant la fenêtre ; elle regarde tomber la pluie. Puisqu'il faut absolument qu'il s'en aille, elle aurait voulu qu'il s'en allât par un beau temps, sous un grand soleil éclairant sa première étape.

10 En arrivant à Longueval, il y a un mois, Bettina ne savait pas ce que c'était qu'une étape. Elle le sait aujourd'hui. Une étape d'artillerie est une course de trente à quarante kilomètres, avec une heure de halte pour déjeuner. C'est l'abbé Constantin qui lui a appris cela ; pendant leurs tournées du matin chez les 15 pauvres, Bettina accable le curé de questions sur les choses militaires et tout particulièrement sur le service de l'artillerie.

Huit ou dix lieues sous cette pluie battante ! Pauvre Jean ! Bettina pense au petit Turner, au petit Norton, à Paul de Lavardens, qui vont dormir bien tranquillement jusqu'à dix 20 heures du matin, pendant que Jean recevra ce déluge.

Paul de Lavardens ! Ce nom réveille en son esprit un souvenir qui lui est douloureux, le souvenir de ce tour de valse, la veille. . . . Avoir ainsi dansé, lorsque le chagrin de Jean était manifeste ! Ce tour de valse prend aux yeux de Bettina 25 les proportions d'un crime : c'est horrible, ce qu'elle a fait !

Et ensuite n'a-t-elle pas manqué de courage et de franchise dans ce dernier entretien avec Jean ? Lui, ne pouvait, n'osait rien dire ; mais elle aurait dû montrer plus de tendresse, plus d'abandon. Triste et souffrant comme il était, jamais elle n'aurait 30 dû lui permettre de s'en aller à pied. Il fallait le retenir, le retenir à tout prix.† L'imagination de Bettina travaille et s'exalte. Jean a dû emporter cette impression qu'elle était une mauvaise petite créature, sans cœur et sans pitié.

Et dans une demi-heure il va partir, partir pour vingt jours. . . . Ah ! si elle pouvait, par un moyen quelconque ! . . . Mais ce moyen, il existe. . . . Le régiment va défiler le long du mur du parc, sous la terrasse. Voilà Bettina prise d'une envie folle d'aller voir passer Jean. Il comprendra bien, en l'apercevant, là, à une pareille heure, qu'elle vient lui demander pardon de ses cruautés de la veille. Oui, elle ira ! . . . Mais elle a promis à Suzie d'être sage comme une image, et faire ce qu'elle va faire, est-ce bien être sage comme une image ? Elle en sera quitte† pour tout avouer à Suzie, en rentrant, et Suzie pardonnera.

Elle ira ! elle ira ! Seulement comment s'habiller ? Elle n'a sous la main† qu'une robe de bal, un peignoir de mousseline, de petites mules à talons et des souliers de bal en satin bleu. Réveiller sa femme de chambre, jamais elle n'oserait . . . et puis le temps presse . . . cinq heures moins un quart ! Le régiment part à cinq heures.

Elle peut se tirer d'affaire† avec le peignoir de mousseline et les souliers de satin ; elle trouvera dans le vestibule un chapeau, ses petits sabots de jardin et le grand manteau écossais qu'elle met, pour conduire, les jours de pluie. Elle entr'ouvre sa porte avec des précautions infinies ; tout dort dans le château, elle se glisse le long des murs, dans les couloirs ; elle descend l'escalier.

Pourvu que les petits sabots soient bien là, à leur place ! C'est sa grande préoccupation. Les voici. Elle les attache par-dessus les souliers de bal, elle s'enveloppe dans le grand manteau. Elle entend que la pluie, au dehors, redouble de violence. Elle aperçoit un de ces immenses parapluies d'antichambre dont se servent† les valets de pied quand ils montent sur le siège ; elle s'en empare, elle est prête . . . mais, quand elle veut sortir, elle s'aperçoit que la porte-fenêtre du vestibule est fermée par une grosse barre de fer. Elle tâche de l'enlever ; mais la barre de fer tient bon, résiste, et le grand cartel du vestibule fait entendre† lentement cinq coups. Il part en ce moment !

Elle veut le voir ! elle veut le voir ! Sa volonté s'irrite avec les obstacles. Elle fait un grand effort. La barre cède, glisse dans les rainures. . . . Mais Bettina s'est fait à la main une longue estafilade qui laisse voir un mince filet de sang. Bettina tamponne son mouchoir autour de sa main ; elle prend son grand parapluie, elle tourne la clef dans la serrure, elle ouvre la porte. Enfin ! la voilà dehors !

Le temps est épouvantable. Le vent et la pluie font rage.† Il faut cinq ou six minutes pour gagner cette terrasse, qui a vue† sur la route. Bettina se lance en avant, courageusement, tête baissée, enfouie sous son immense parapluie. Elle a déjà fait une cinquantaine de pas. Tout à coup, furieuse, folle, aveuglante, une bourrasque se jette sur Bettina, s'engouffre dans son manteau, l'entraîne, la soulève, lui fait presque quitter terre, retourne violemment le parapluie. Ce n'est rien encore. Le désastre est complet. Bettina a perdu un de ses petits sabots. . . . Ce n'étaient pas des sabots sérieux, c'étaient de mignons petits sabots pour le beau temps.

Et, en ce moment, lorsque Bettina, désespérée, lutte contre la tempête, avec son soulier de satin bleu qui plonge dans le sable mouillé, en ce moment, le vent lui apporte l'écho lointain d'une sonnerie de trompettes. C'est le régiment qui part ! Bettina prend une grande résolution : elle abandonne le parapluie, rattrape son petit sabot, le rattache tant† bien que mal, et part en courant avec un déluge sur la tête.

Enfin, elle est sous bois† ; les arbres la protègent un peu. Encore une sonnerie, plus rapprochée cette fois. Bettina croit entendre le roulement des voitures. Elle fait un dernier effort. Voici la terrasse. . . . Elle est arrivée. . . . Il était temps ! Elle aperçoit, à vingt mètres, les chevaux blancs des trompettes, et, sur la route, elle voit onduler vaguement, dans le brouillard, la longue file des canons et des caissons. Elle s'abrite sous un des vieux tilleuls qui bordent la terrasse. Elle regarde, elle attend. Il est là, parmi cette masse confuse de cavaliers. Pourra-t-elle le reconnaître ? Et lui, la verra-t-il ? Quelque hasard lui fera-t-il tourner la tête de ce côté ?

Bettina sait qu'il est lieutenant à la deuxième batterie de son régiment ; elle sait qu'une batterie se compose de six canons et de six caissons. C'est encore l'abbé Constantin qui lui a appris cela. Il faut donc laisser passer la première batterie, c'est-à-dire† compter six canons, six caissons, et ensuite ce sera lui. . . .

C'est lui, en effet, enveloppé dans son grand manteau, et c'est lui qui, le premier, la voit, la reconnaît. Quelques instants auparavant, il s'était rappelé une longue promenade qu'il avait faite avec elle, un soir, à la nuit† tombante, sur cette terrasse. Il avait levé les yeux, et, à cette place même où il se souvenait de l'avoir vue, c'était elle qu'il avait retrouvée.

Il la salue, et, tête nue, sous la pluie, se tournant sur son cheval à mesure† qu'il s'éloigne, tant qu'il peut l'apercevoir, il la regarde. Il se redisait ce qu'il s'était déjà dit la veille :

— C'est la dernière fois !

Elle, avec un geste des deux mains, lui envoyait ses adieux, et ce geste, plusieurs fois répété, amenait ses mains si près, si près de ses lèvres, qu'on aurait pu croire . . .

— Ah ! se disait-elle, si, après cela, il ne comprend pas que je l'aime et s'il ne me pardonne pas mon argent ! . . .

IX

C'est le 10 août, le jour qui doit ramener Jean à Longueval.

Bettina se réveille de très bonne heure,† se lève, court tout de suite† à la fenêtre. Un grand soleil perce et déjà dissipe les vapeurs du matin. Le ciel, la veille au soir, était menaçant, chargé de nuages, Bettina a peu dormi, et, toute la nuit, elle se disait :

— Pourvu qu'il ne pleuve pas demain matin !

Il va faire un temps admirable. Bettina est un peu superstitieuse. Cela lui donne bon espoir et bon courage. La journée commence bien, elle finira bien.

M. Scott est revenu depuis quelques jours. Bettina l'attendait sur le quai au Havre, à l'arrivée du paquebot, avec Suzie et les enfants.

On s'est embrassé tendrement à plusieurs reprises. Puis Richard, s'adressant à sa belle-sœur :

— Eh bien, dit-il en riant, à quand le mariage ?

— Quel mariage ?

— Avec M. Jean Reynaud.

— Ah ! ma sœur vous a écrit ?

— Suzie ? Aucunement. . . . Suzie ne m'a pas dit un mot. . . . C'est vous, Bettina, qui m'avez écrit. Dans toutes vos lettres, depuis deux mois, il n'est question que de ce jeune officier.

— Dans toutes mes lettres ?

— Oui, oui . . . et vous m'écriviez plus souvent et plus longuement qu'à l'ordinaire. Je ne m'en plains pas ; mais, enfin, je vous demande quand vous me présenterez mon beau-frère.

Il plaisante en parlant ainsi, mais Bettina lui répond :

— Bientôt, j'espère.

M. Scott apprend que l'affaire est sérieuse. Au retour, en wagon, Bettina a redemandé ses lettres à Richard. Elle les relit. C'est de lui, en effet, qu'à chaque page il est question dans ces lettres ! Elle retrouve là, racontée dans ses moindres détails, la première rencontre. Voici le portrait de Jean dans le jardin du presbytère, avec son chapeau de paille et son saladier de faïence . . . et puis encore monsieur Jean, toujours monsieur Jean ! Elle découvre qu'elle l'aime depuis beaucoup plus longtemps qu'elle ne le pensait.

Donc c'est le 10 août. Le déjeuner vient† de finir au château. Harry et Bella sont impatients. Ils savent que le régiment doit, entre une heure et deux, traverser le village. On leur a promis de les mener voir passer les soldats, et, pour eux aussi bien que pour Bettina, le retour du 9e d'artillerie est un grand événement.

— Tante Betty, dit Bella, tante Betty, viens avec nous.

— Oui, viens, dit Harry, viens ; nous verrons notre ami Jean sur son grand cheval gris.

Bettina résiste, refuse, et cependant quelle tentation ! Mais non, elle n'ira pas, elle ne reverra Jean que le soir, pour cette explication décisive, à laquelle, depuis vingt jours, elle se prépare.

Les enfants partent avec leurs gouvernantes. Bettina, Suzie et Richard vont s'asseoir dans le parc, tout près du château, et, dès qu'ils sont installés :

— Suzie, dit Bettina, je vais aujourd'hui vous rappeler votre promesse. Vous vous souvenez de ce qui s'est passé entre nous, le soir de son départ. Il a été convenu que si, le jour de son retour, je vous disais : « Suzie, je suis sûre de l'aimer ! » il a été convenu que vous me permettriez de m'adresser à lui franchement et de lui demander s'il voulait† de moi pour femme.

— Oui, je vous l'ai promis. Mais êtes-vous bien sûre ? . . .

— Absolument sûre. Je vous préviens donc que j'ai l'intention de l'amener . . . tenez, ici même, ajouta-t-elle en riant, sur ce banc . . . et de lui tenir à peu près le langage que vous avez tenu autrefois à Richard. . . . Cela vous a réussi, Suzie . . . vous êtes parfaitement heureuse. Et moi aussi, je veux l'être! Richard, Suzie vous a parlé de M. Reynaud.

— Oui, et elle m'a dit que d'aucun homme elle ne pensait plus de bien; mais . . .

— Mais elle vous a dit aussi que c'était peut-être pour moi un mariage un peu tranquille, un peu bourgeois. . . . Oh! méchante sœur! Croiriez-vous, Richard, que je ne puis lui ôter cette crainte de la tête. Elle ne comprend pas que je veux, avant tout, aimer et être aimée. Croiriez-vous, Richard, qu'elle m'a tendu, la semaine dernière, un piège horrible! Vous savez, il y a, de par le monde, un prince Romanelli?

— Oui, vous auriez pu être princesse.

— Cela n'aurait pas rencontré, je crois, d'immenses difficultés. . . . Eh bien, un jour, j'avais eu l'imprudence de dire à Suzie que le prince Romanelli, à la rigueur,† me paraissait acceptable. Imaginez-vous ce qu'elle a fait? Les Turner étaient à Trouville. Suzie a tramé un petit complot. . . . On m'a fait déjeuner avec le prince . . . mais le résultat a été désastreux. . . . Acceptable! . . . Les deux heures que j'ai passées avec lui, je les ai passées à me demander comment j'avais jamais pu dire une telle parole. . . . Non, Richard, non, Suzie, je ne veux être ni princesse, ni comtesse, ni marquise. Je veux être madame Jean Reynaud . . . si M. Jean Reynaud le veut† bien . . . et cela n'est pas certain.

Le régiment entrait dans le village, et brusquement une fanfare éclata, martiale et joyeuse, à travers l'espace. Tous les trois restèrent silencieux. C'était le régiment, c'était Jean qui passait. . . . La sonorité diminua, s'éteignit, et Bettina reprenant:

— Non, cela n'est pas certain. Il m'aime cependant, et beaucoup, mais sans trop savoir ce que je suis. Je pense que je mérite d'être aimée autrement, je pense que je ne lui causerais pas une semblable frayeur s'il me connaissait mieux, et c'est pour cela que je vous demande la permission de lui parler ce soir, librement, à cœur ouvert.

— Nous vous l'accordons, répondit Richard, nous vous l'accordons tous les deux. . . . Nous savons que vous ne ferez jamais rien, Bettina, que de noble et de généreux.

— J'essayerai, tout au moins.

Les enfants reviennent en courant. Ils ont vu Jean ; il était tout blanc de poussière ; il leur a dit bonjour.

— Seulement, ajouta Bella, il a pas été gentil, il s'est pas arrêté pour nous parler . . . il s'arrête ordinairement, et, ce matin, il a pas voulu.

— Si, il a voulu, répond Harry, car il a fait d'abord un mouvement comme ça . . . et puis il a plus voulu, il est reparti.

— Enfin, il s'est pas arrêté, et c'est si amusant de causer avec un militaire, surtout quand il est à cheval !

— C'est pas ça seulement, c'est que nous l'aimons bien, M. Jean. Si tu savais, papa, comme il est bon, comme il sait bien jouer avec nous !

— Et comme il fait des beaux dessins ! . . . Harry, tu te rappelles pas, ce grand polichinelle qui était si drôle avec son bâton ? . . .

— Et le chat, y avait aussi le chat, comme à Guignol.

Les deux enfants s'éloignent en parlant de leur ami Jean.

— Décidément, dit M. Scott, tout le monde l'aime dans la maison.

— Et vous ferez comme tout le monde, quand vous le connaîtrez, répond Bettina.

Le régiment a pris le trot sur la grande route,[†] au sortir du village. . . . Voici la terrasse où Bettina se trouvait[†] l'autre matin. . . . Jean se dit : « Si elle était là ! » Il le redoute et l'espère en même temps. . . . Il lève la tête, il regarde. . . . Elle n'y est pas !

Il ne l'a pas revue ! Il ne la reverra pas . . . de longtemps, au moins. Il va partir, le soir même, à six heures, pour Paris. Un des directeurs du ministère de la guerre s'intéresse à lui. Il va tâcher de se faire envoyer dans un autre régiment.

Jean a beaucoup réfléchi là-bas, seul, à Cercottes, et voici quel a été le résultat de ses réflexions : il ne peut pas, il ne doit pas être le mari de Bettina !

Les hommes mettent† pied à terre dans la cour du quartier. Jean prend congé† de son colonel et de ses camarades. Tout est fini. Il est libre, il pourrait partir. . . . Il ne part pas cependant. Il regarde autour de lui. . . . Comme il était heureux, trois mois auparavant, lorsqu'il sortait de cette grande cour, à cheval, dans le fracas des canons roulant sur le pavé de Souvigny ! Comme il va en sortir tristement aujourd'hui ! Sa vie autrefois était là . . . où sera-t-elle maintenant ?

Il rentre, il monte chez lui. Il écrit à madame Scott ; il lui dit que, pour affaires de service, il est obligé de partir à l'instant même ; il ne pourra pas dîner au château ; il prie madame Scott de le rappeler† au souvenir de mademoiselle Bettina. . . . Bettina ! . . . Ah ! qu'il a eu de peine à écrire ce nom ! . . . Il ferme sa lettre. . . . Il l'enverra tout à l'heure.†

Il fait ses préparatifs de départ. Ensuite il ira dire adieu à son parrain. C'est là ce qui lui coûte le plus. . . . Il ne lui parlera que d'une absence de peu de durée.

Il ouvre un des tiroirs de son bureau pour y prendre de l'argent. La première chose qui frappe ses yeux est une petite lettre sur papier bleuté. C'est le seul billet qu'il ait reçu d'elle :

« Voulez-vous avoir la bonté de remettre au porteur le livre dont vous m'avez parlé hier soir ? Il sera peut-être un peu sérieux pour moi. . . . Je voudrais cependant essayer de le lire. . . . A tout à l'heure. Venez le plus tôt possible. »

C'est signé : *Bettina.* Jean lit et relit ces quelques lignes. . . . Mais bientôt il ne peut plus lire. . . . Ses yeux sont troubles.

— C'est tout ce qui me restera d'elle ! se dit-il.

Au même moment, l'abbé Constantin est en tête† à tête avec Pauline. Ils font leurs comptes. La situation financière est admirable. Plus de deux mille francs en caisse ! Et les vœux de Suzie et de Bettina sont comblés : il n'y a plus de pauvres dans le pays. La vieille Pauline a même, par instants, de légers scrupules de conscience.

— Voyez-vous, monsieur le curé, dit-elle, nous donnons peut-être un peu trop. Ça commence à se répandre dans les autres communes qu'on fait ici la charité à bureau ouvert. Et savez-vous ce qui arrivera un de ces jours ? On viendra s'établir pauvre à Longueval.

Le curé donne cinquante francs à Pauline ; elle sort pour aller les porter à un pauvre homme qui s'est cassé le bras, en tombant du haut d'une charrette de foin.

L'abbé Constantin reste seul au presbytère. Il est soucieux. Il a guetté le régiment au passage ; mais Jean ne s'est arrêté qu'un instant ; il avait l'air† triste. Depuis quelque temps déjà, l'abbé s'en est bien aperçu, Jean n'a plus sa bonne humeur et sa gaieté d'autrefois. Le curé ne s'en était pas trop inquiété, croyant à un de ces petits chagrins de jeunesse qui ne regardaient pas un pauvre vieux bonhomme de prêtre. Mais la préoccupation de Jean était, ce jour-là, très marquée.

— Je viendrai tout à l'heure, mon parrain, avait-il dit au curé ; j'ai besoin de vous parler.

Il était parti brusquement. L'abbé Constantin n'avait pas eu le temps de donner à Loulou son morceau de sucre, ou plutôt ses morceaux de sucre ; car il en avait mis cinq ou six dans sa poche, considérant que Loulou avait bien mérité ce régal par dix grands jours d'étapes et par une vingtaine de nuits passées à la belle étoile.† D'ailleurs,† depuis l'installation de madame Scott au château, Loulou avait très souvent plusieurs morceaux de sucre. L'abbé Constantin devenait dépensier, prodigue ; il se sentait millionnaire ; le sucre du cheval de Jean était une de ses folies. Un jour même, il avait été sur le point[†] d'adresser à Loulou son éternel petit discours :

— Cela vient des nouvelles châtelaines de Longueval. Priez pour elles ce soir.

Il était trois heures lorsque Jean arriva au presbytère, et le curé tout aussitôt :

— Tu m'as dit que tu avais besoin[†] de me parler. . . . De quoi s'agit-il[†] ?

— D'une chose, mon parrain, qui va vous surprendre, vous chagriner, et qui me chagrine aussi. Je viens vous faire mes adieux.

— Tes adieux ! tu pars ?

— Oui, je pars.

— Quand cela ?

— Aujourd'hui même . . . dans deux heures.

— Dans deux heures ! mais nous devions dîner ce soir au château.

— Je viens[†] d'écrire à madame Scott pour m'excuser. . . . Je suis absolument forcé de partir.

— Tout de suite ?

— Tout de suite.

— Et tu vas?

— A Paris.

— A Paris ! Pourquoi cette détermination soudaine ?

— Pas si soudaine. Il y a longtemps que je songe[†] à ce départ.

—Et tu ne m'en avais rien dit ! . . . Jean, il se passe[†] quelque chose. . . . Tu es un homme et je n'ai plus le droit de te traiter en enfant ; mais, enfin, tu sais combien je t'aime. . . . Si tu as des tourments, des ennuis, pourquoi ne pas me les dire ? Je pourrais peut-être te donner un bon conseil. Jean, pourquoi vas-tu à Paris ?

— J'aurais voulu ne pas vous le dire. . . . Cela va vous faire de la peine . . . mais vous avez le droit de savoir. . . . Je vais à Paris pour demander à être envoyé dans un autre régiment.

— Dans un autre régiment? . . . quitter Souvigny?

— Oui, précisément, quitter Souvigny . . . pour quelque temps, pour peu de temps; mais enfin quitter Souvigny, c'est cela que je veux, c'est cela qui est nécessaire.

— Et moi, Jean, tu ne penses donc pas à moi? . . . Pour peu de temps! . . . Peu de temps! mais c'est ce qui me reste à vivre, peu de temps. Et, pendant ces derniers jours que je dois à la grâce de Dieu, c'était mon bonheur, Jean, oui, c'était mon bonheur de te sentir là, près de moi. Et tu t'en irais! Jean, attends un peu, patiente, ça ne sera pas bien long; attends que le bon Dieu m'ait rappelé à lui, attends que je sois allé retrouver là, à côté,[†] et ton père, et ta mère. . . . Ne t'en va pas, Jean, ne t'en va pas.

— Si vous m'aimez, moi aussi je vous aime . . . et vous le savez bien. . . .

— Oui, je le sais.

— J'ai pour vous cette même tendresse que j'avais quand j'étais tout petit, quand vous m'avez recueilli, quand vous m'avez élevé. Mon cœur n'a pas changé, ne changera jamais. . . . Mais si le devoir, si l'honneur m'obligent à partir . . .

— Ah! si c'est le devoir, si c'est l'honneur . . . Je ne dis plus rien, Jean. . . . Tout passe après cela, tout, tout! Je t'ai toujours connu bon juge de ton devoir, bon juge de ton honneur. . . . Pars, mon enfant, pars. Je ne te demande rien. Je ne veux rien savoir.

— Eh bien, moi, je veux tout vous dire, s'écria Jean, vaincu par son émotion. Aussi[†] bien vaut[†]-il mieux que vous sachiez tout. Vous restez ici, vous, vous retournerez au château . . . vous la reverrez . . . elle!

— Qui . . . elle ?

— Bettina !

— Bettina ?

— Je l'adore, mon parrain, je l'adore !

5 — O mon pauvre enfant !

— Pardonnez-moi de vous parler de ces choses . . . mais je vous les dis comme je les dirais à mon père. Et puis . . . je n'ai jamais pu en parler à personne, et cela m'étouffait. . . . Oui, c'est une folie, qui, peu† à peu, s'est emparée de moi, 10 malgré moi, car vous comprenez bien. . . . Mon Dieu ! c'est ici même que j'ai commencé à l'aimer. Vous savez, quand elle est venue avec sa sœur . . . les petits rouleaux de mille francs . . . ses cheveux qui se sont défaits† . . . et le soir, le mois de Marie ? . . . Puis il m'a été permis de la voir librement, 15 familièrement . . . et, vous-même, sans cesse, vous me parliez d'elle, vous me vantiez sa douceur, sa bonté. Que de fois vous m'avez dit qu'il n'y avait rien de meilleur au monde !

— Et je le pensais . . . et je le pense encore . . . et personne ici ne la connaît mieux que moi, car je suis le seul à l'avoir vue 20 chez les pauvres. Si tu savais, dans nos tournées, le matin, elle est si tendre et si brave ! Ni la misère ni la souffrance ne la rebutent. . . . Mais j'ai† tort de te dire tout cela. . . .

— Non, non, je ne veux plus la revoir, mais je veux† bien entendre parler d'elle.

25 — Tu ne rencontreras pas dans la vie, Jean, de femme meilleure et qui ait des sentiments plus élevés. A tel point, qu'un jour, — elle m'avait emmené dans une voiture découverte qui était pleine de joujoux, — elle portait ces joujoux à une petite fille malade, et, en les lui donnant, pour la faire rire, cette petite, 30 pour l'amuser, elle lui parlait si gentiment, que je pensais† à toi et que je me disais, je m'en souviens maintenant : « Ah ! si elle était pauvre ! »

— Oui, si elle était pauvre ! mais elle ne l'est pas !

— Oh ! non. . . . Enfin que veux†-tu, mon pauvre enfant ! si ça te fait du mal de la voir, de vivre près d'elle, comme il faut, avant tout, que tu ne souffres pas . . . va-t'en, c'est cela, va-t'en. . . . Et cependant . . . et cependant . . .

Le vieux prêtre devint songeur, laissa tomber sa tête dans ses 5 mains, et resta, pendant quelques instants, silencieux ; puis il continua :

— Et cependant, Jean, sais-tu à quoi je pense ? Je l'ai beaucoup vue, mademoiselle Bettina, depuis son arrivée à Longueval. Eh bien, je réfléchis, — cela ne m'étonnait pas alors, cela me 10 semblait si naturel, que l'on s'intéressât à toi, — mais enfin, elle parlait de toi toujours, oui, toujours.

— De moi ?

— Oui, et de ton père, et de ta mère. Elle était curieuse de savoir comment tu vivais, elle me demandait de lui expliquer ce 15 que c'était que l'existence d'un soldat, d'un vrai soldat aimant son métier et le faisant en conscience.† C'est extraordinaire, depuis que tu m'as dit cela, il se fait dans ma tête tout un travail de souvenirs. Mille petites choses se groupent, se rapprochent. . . . Ainsi, elle est revenue du Havre avant-hier à trois heures. Eh 20 bien, une heure après son arrivée, elle était ici. Et c'est de toi, tout de suite, qu'elle m'a parlé. Elle m'a demandé si tu m'avais écrit, si tu n'avais pas été malade, quand tu arriverais, à quelle heure, si le régiment passerait par le village.

— Il est inutile, mon parrain, de rechercher tous ces sou- 25 venirs.

— Non, cela n'est pas inutile. . . . Elle paraissait si contente, si heureuse même, de penser qu'elle allait† te revoir ! Ce dîner de ce soir, elle s'en faisait une fête.† . . . Elle devait te présenter à son beau-frère, qui est arrivé. Il n'y a personne en ce moment 30 au château, pas un seul invité. Elle insistait beaucoup sur ce point, — et je me rappelle sa dernière phrase, — elle était là sur le seuil de la porte : « Nous ne serons que cinq, m'a-t-elle dit, vous et M. Jean, ma sœur, mon beau-frère et moi. » Et elle a ajouté, en riant : « Un vrai dîner de famille. » C'est sur ce mot qu'elle est partie, qu'elle s'est sauvée presque. Un vrai dîner de famille ? Sais-tu ce que je crois, Jean, le sais-tu ?

— Il ne faut pas croire cela, mon parrain, il ne faut pas. . . .

— Jean, je crois qu'elle t'aime !

— Et moi aussi, je le crois !

— Toi aussi ?

— Quand je l'ai quittée, il y a vingt jours, elle était si agitée, si émue ! Elle me voyait triste et malheureux. Elle ne voulait pas me laisser partir. C'était sur le perron du château. J'ai dû m'enfuir . . . oui . . . m'enfuir. J'allais parler, éclater, tout lui dire. Après avoir fait une cinquantaine de pas, je me suis arrêté, je me suis retourné. Elle ne pouvait plus me voir. J'étais en pleine nuit. Mais je la voyais, moi. Elle était restée, là, immobile, les épaules et les bras nus, sous la pluie, regardant du côté par où j'étais parti. Peut-être suis-je fou de penser que . . . Peut-être n'était-ce qu'un sentiment de pitié. Mais non, c'était autre chose que de la pitié, car savez-vous ce qu'elle a fait, le lendemain matin ? Elle est venue, à cinq heures, par un temps effroyable, me voir passer sur la route avec le régiment, et, là, sa façon de me dire adieu . . . Ah ! mon parrain ! mon parrain ! . . .

— Mais alors, dit le pauvre curé, complètement bouleversé, complètement désorienté, mais alors je ne comprends plus du tout. Si tu l'aimes, Jean, et si elle t'aime !

— Mais c'est à cause[†] de cela surtout qu'il faut que je parte. S'il n'y avait que moi ! si j'étais certain qu'elle ne s'est pas aperçue de mon amour, certain qu'elle n'en a pas été attendrie ! je resterais . . . je resterais . . . rien que pour la douceur de la voir, et je l'aimerais de loin, sans aucune espérance, rien que pour le bonheur de l'aimer. . . . Mais non, elle a bien compris . . . et loin de me décourager . . . enfin . . . voilà ce qui m'oblige à partir. . . .

— Non, je ne comprends plus. Je sais bien, mon pauvre enfant, que nous parlons là de choses où je ne suis pas grand clerc . . . mais, enfin, vous êtes tous les deux bons, jeunes et charmants. . . . Tu l'aimes . . . elle t'aimerait . . . et tu ne pourrais pas ! . . .

— Et son argent, mon parrain, et son argent !

— Qu'importe son argent ! ce n'est rien que son argent ! Est-ce que c'est à cause de son argent que tu l'as aimée ? . . . C'est plutôt malgré son argent. Ta conscience, mon Jean, sera bien en paix à cet égard, et cela suffit.

— Non, cela ne suffit pas. Avoir bonne opinion de soi-même, ce n'est pas assez ; il faut encore que cette bonne opinion soit partagée par les autres.

— Oh ! Jean, parmi ceux qui te connaissent, qui pourrait douter de toi ?

— Qui sait ? . . . Et puis il y a autre chose que cette question d'argent, autre chose de plus sérieux et de plus grave. Je ne suis pas le mari qui lui convient.

— Et quel autre plus digne que toi ? . . .

— Il ne s'agit[†] pas de rechercher ce que je puis valoir, il s'agit de considérer ce qu'elle est et de considérer ce que je suis ; il s'agit de se demander ce que doit être sa vie et ce que doit être ma vie, à moi. . . . Un jour, Paul, — vous savez, il a une façon un peu brutale de dire les choses . . . mais cela donne souvent à la pensée beaucoup de clarté, — il était question d'elle . . . Paul ne se doutait[†] de rien . . . sans cela . . . il est bon . . . et n'aurait pas ainsi parlé. Eh bien, il me disait : « Ce qu'il lui faut, c'est un mari qui soit bien à elle, tout à elle, un mari qui n'ait d'autre souci que de faire de son existence une fête perpétuelle, un mari enfin qui lui en donne pour son argent. » Vous me connaissez. . . . Un tel mari, je ne peux pas, je ne dois pas l'être. Je suis soldat et veux rester soldat. Si les hasards de ma carrière m'envoient un jour en garnison dans quelque trou des

Alpes ou dans un village perdu de l'Algérie, puis-je lui demander de me suivre ? puis-je la condamner à cette existence de femme de soldat, qui est, en somme, un peu l'existence du soldat ? Pensez[†] à la vie qu'elle mène aujourd'hui, à tout ce luxe, à tous ces plaisirs ! . . .

— Oui, dit l'abbé, cela est plus sérieux que la question d'argent.

— Tellement sérieux qu'il n'y a pas d'hésitation possible. Pendant ces vingt jours que j'ai passés là-bas, seul, au camp, j'ai bien pensé[†] à tout cela . . . je n'ai pensé qu'à cela . . . et, l'aimant comme je l'aime, il faut que les raisons soient bien fortes qui me montrent clairement mon devoir. Je dois m'en aller . . . loin, bien loin, le plus loin possible. J'en souffrirai beaucoup . . . mais je ne dois plus la revoir ! je ne dois plus la revoir !

Jean se laissa tomber sur un fauteuil, près de la cheminée ; il resta là, accablé. Le vieux prêtre le regardait.

— Te voir malheureux ! mon pauvre enfant ! qu'une telle douleur tombe sur toi ! . . . Cela est trop cruel, trop injuste ! . . .

A ce moment, on frappa légèrement à la porte.

— Ah ! dit le curé, n'aie pas peur, Jean . . . je vais renvoyer. . . .

L'abbé se dirigea vers la porte, l'ouvrit et recula comme devant une apparition inattendue.

C'était Bettina. Tout de suite, elle avait vu Jean, et, allant droit à lui :

— Vous ? . . . s'écria-t-elle. Oh ! que je suis contente !

Il s'était levé . . . elle lui avait pris les deux mains, et, s'adressant à l'abbé :

— Je vous demande pardon, monsieur le curé, si c'est à lui d'abord que je suis allée. . . . Vous, je vous ai vu hier . . . et lui, pas depuis vingt grands jours, pas depuis certain soir où il est parti de la maison triste et souffrant.

Elle tenait toujours les mains de Jean. Il ne se sentait la force ni de faire un mouvement, ni de prononcer une parole.

— Et maintenant, continua Bettina, allez[†]-vous mieux ? Non, pas encore . . . je le vois . . . encore triste. . . . Ah ! comme j'ai bien fait de venir ! J'ai eu là une inspiration. Cependant, cela me gêne un peu, cela me gêne beaucoup de vous trouver ici. Vous comprendrez pourquoi lorsque vous saurez ce que je viens demander à votre parrain.

Elle abandonna les mains de Jean, et, se tournant vers l'abbé :

— Je viens, monsieur le curé, vous prier de vouloir bien entendre ma confession. . . . Oui, ma confession. . . . Mais ne vous avisez[†] pas de vous en aller, monsieur Jean. Je ferai ma confession publiquement. Je parlerai très volontiers devant vous . . . et même, en y songeant,[†] cela sera bien mieux ainsi. Asseyons-nous . . . voulez-vous ?

Elle se sentait pleine de confiance et de hardiesse. Elle avait la fièvre, mais cette fièvre qui, sur le champ de bataille, donne au soldat de l'ardeur, de l'héroïsme et le mépris du danger. L'émotion qui faisait battre le cœur de Bettina plus vite qu'à l'ordinaire était une émotion haute et généreuse. Elle se disait :

— Je veux être aimée ! je veux aimer ! je veux être heureuse ! je veux qu'il soit heureux ! Et, puisque lui ne peut pas avoir le courage, c'est à moi d'en avoir pour nous deux, c'est à moi de marcher seule, la tête haute et d'un cœur tranquille, à la conquête de notre amour, à la conquête de notre bonheur !

Bettina, dès les premiers mots, avait pris sur l'abbé et sur Jean un complet ascendant. Ils la laissaient[†] dire, ils se laissaient[†] faire. Ils sentaient bien que l'heure était suprême, ils comprenaient que ce qui allait se passer là serait décisif, irrévocable ; mais ils n'étaient ni l'un ni l'autre en état[†] de prévoir. . . . Ils s'étaient assis docilement, presque automatiquement. Ils attendaient, ils écoutaient. . . . Entre ces deux hommes éperdus, Bettina, seule, était de sang-froid. . . . Ce fut d'une voix nette et précise qu'elle commença :

— Je vous dirai, d'abord, monsieur le curé, et cela pour mettre votre conscience pleinement en repos, je vous dirai que je suis

ici avec le consentement de ma sœur et de mon beau-frère. Ils savent pourquoi je suis venue, ils savent ce que je vais faire. Ils ne le savent pas seulement, ils l'approuvent. C'est entendu, n'est-ce pas ? Eh bien, ce qui m'amène, c'est votre lettre, monsieur
5 Jean, cette lettre par laquelle vous avez appris à ma sœur que vous ne pouviez pas, ce soir, venir dîner avec nous et que vous étiez absolument obligé de partir. Cette lettre a dérangé tous mes projets. . . . En effet, ce soir, — toujours avec la permission de ma sœur et de mon beau-frère, — je voulais, après le
10 dîner, vous emmener dans le parc, monsieur Jean, m'asseoir avec vous sur un banc, — j'avais eu l'enfantillage de choisir la place d'avance,† tout à l'heure ; — là, je vous aurais tenu un petit discours, très préparé, très étudié, presque appris par cœur ; car, depuis votre départ, je ne pense qu'à ce petit discours. Je me
15 le récite à moi-même du matin au soir. Voilà donc ce que je me proposais de faire, et vous comprenez que votre lettre . . . Je me suis trouvée fort embarrassée. . . . J'ai un peu réfléchi et je me suis dit que, si j'adressais mon petit discours à votre parrain, ce serait à peu près† comme si je vous l'adressais à vous-
20 même. Je suis donc venue, monsieur le curé, vous prier de vouloir† bien m'écouter.

— Je vous écoute, mademoiselle, balbutia l'abbé.

— Je suis riche, monsieur le curé, je suis très riche, et, à vous parler franchement, j'aime beaucoup mon argent, oui, je l'aime
25 beaucoup. Je lui dois ce luxe qui m'entoure, ce luxe qui, je l'avoue, — c'est une confession, — ne m'est aucunement désagréable. Mon excuse, c'est que je suis encore bien jeune, cela passera peut-être avec l'âge. . . . Mais, enfin, cela n'est pas bien sûr. J'ai une autre excuse ; c'est que, si j'aime un peu mon
30 argent pour les agréments qu'il me procure, je l'aime beaucoup pour le bien qu'il me permet de faire autour de moi. Je l'aime en égoïste, si vous voulez, pour la joie que me cause le plaisir de donner. . . . Enfin, je crois que ma fortune n'est pas trop mal

placée entre mes mains. Eh bien, monsieur le curé, de même[†] que vous avez, vous, charge d'âmes, il me semble que j'ai, moi, charge d'argent. Je me suis toujours dit : « Je veux que mon mari soit, avant tout, digne de partager cette grande fortune ; je veux être bien certaine qu'il en fera bon usage, avec moi, tant que je serai là, et, après moi, si je dois m'en aller de ce monde la première. » Je me disais encore autre chose. . . . Je me disais : « Celui qui sera mon mari, je veux l'aimer ! » Et voilà, monsieur le curé, où véritablement commence ma confession. Il est un homme qui, depuis deux mois, a fait tout ce qu'il a pu pour me cacher qu'il m'aimait. . . . Mais cet homme, je n'en doute pas, il m'aime. . . . Jean, n'est-ce pas, vous m'aimez ?

— Oui, dit Jean, tout bas,[†] les yeux fermés, comme un criminel, je vous aime !

— Je le savais bien ; mais, enfin, j'avais besoin de vous l'entendre dire. Et maintenant, Jean, je vous en conjure, ne prononcez plus un seul mot. Toute parole de vous serait inutile, me troublerait, m'empêcherait d'aller jusqu'au bout et de vous dire ce que je tiens[†] absolument à vous dire. Promettez-moi de rester là, assis, sans bouger, sans parler. . . . Vous me le promettez ?

— Je vous le promets.

Bettina perdait un peu de son assurance, sa voix tremblait légèrement. Elle reprit cependant avec un enjouement un peu forcé :

— Mon Dieu, monsieur le curé, je ne vous accuse certainement pas de ce qui est arrivé, mais pourtant tout cela est un peu votre faute.

— Ma faute !

— Ah ! ne me parlez pas, vous non plus. Oui, je le répète, votre faute. . . . Je suis certaine que vous avez dit à Jean beaucoup de bien de moi, beaucoup trop. Peut-être, sans cela, n'aurait-il pas songé. . . . Et, en même temps, à moi, vous me disiez beaucoup de bien de lui, — pas trop, non, non, mais enfin beaucoup ! — Alors, moi, j'avais tant de confiance en vous, que j'ai

commencé à le regarder et à l'examiner avec un peu plus d'attention. Je me suis mise† à le comparer avec tous ceux qui, depuis un an, avaient demandé ma main. Il m'a paru qu'il leur était de toute manière absolument supérieur. . . . Enfin il est
5 arrivé qu'un certain jour . . . ou plutôt un certain soir . . . il y a trois semaines, la veille de votre départ, Jean, je me suis aperçue que je vous aimais. . . . Oui, Jean, je vous aime ! . . . Je vous en conjure, Jean, ne dites rien . . . restez assis . . . ne vous approchez pas de moi. J'avais fait, avant de venir ici,
10 provision de courage ; mais je n'ai déjà plus, vous le voyez, mon beau calme de tout à l'heure.† J'ai encore cependant certaines choses à vous dire . . . et les plus importantes de toutes. Jean, écoutez-moi bien. Je ne veux pas d'une réponse arrachée à votre émotion. Je sais que vous m'aimez. . . . Si vous devez m'épou-
15 ser, je ne veux pas que ce soit seulement par amour ; je veux que ce soit aussi par raison. Pendant ces quinze jours qui ont précédé votre départ, vous avez pris un tel soin de me fuir, de vous dérober à tout entretien, que je n'ai pas pu me montrer à vous telle que je suis. Il y a en moi peut-être certaines qualités
20 que vous ne connaissez pas. . . . Jean, je sais ce que vous êtes, je sais à quoi je m'engagerais en devenant votre femme, et je serais pour vous non pas seulement une femme aimante et tendre, mais aussi une femme courageuse et ferme. Je connais votre vie entière, c'est votre parrain qui me l'a racontée. Je sais
25 pourquoi vous êtes soldat, je sais quels devoirs, quels sacrifices vous pouvez entrevoir dans l'avenir. . . . Jean, n'en doutez pas, je ne vous détournerai d'aucun de ces devoirs, d'aucun de ces sacrifices. Si je pouvais vous en vouloir† de quelque chose, je vous en voudrais peut-être de cette pensée ; — oh ! vous avez dû
30 l'avoir ! — que je vous souhaiterais libre et tout à moi, que je vous demanderais d'abandonner votre carrière. Jamais ! jamais ! entendez-vous bien, jamais je ne vous demanderai une pareille chose. . . . Une jeune fille que je connais a fait cela, en se

mariant; elle a fait une chose qui était mal. . . . Je vous aime et je vous veux tel que vous êtes. C'est parce que vous vivez autrement et mieux que tous ceux qui m'ont désirée pour femme que je vous ai, moi, désiré pour mari. Je vous aimerais moins, je ne vous aimerais peut-être plus du tout, — cela me serait bien difficile cependant, — si vous vous mettiez[†] à vivre comme vivent tous ceux dont je n'ai pas voulu. . . . Quand je pourrai vous suivre, je vous suivrai, et partout[†] où vous serez sera mon devoir, partout où vous serez sera mon bonheur. Et, si le jour arrive où vous ne pourrez pas m'emmener, le jour où vous devrez partir seul, eh bien! Jean, ce jour-là, je vous promets d'avoir du courage, pour ne pas vous enlever votre courage à vous. . . . Et maintenant, monsieur le curé, ce n'est pas à lui, c'est à vous que je m'adresse . . . je veux que ce soit vous qui répondiez . . . pas lui. Dites . . . s'il m'aime et s'il me sent digne de lui, serait-il juste de me faire expier si durement ma fortune? . . . Dites! . . . ne doit-il pas accepter d'être mon mari?

— Jean, dit gravement le vieux prêtre, épouse-la . . . c'est ton devoir . . . et ce sera ton bonheur!

Jean s'approcha de Bettina, la prit dans ses bras et posa sur son front un premier baiser.

Bettina se dégagea doucement, et, s'adressant à l'abbé:

— Et maintenant, monsieur le curé, j'ai encore quelque chose à vous demander. . . . Je voudrais . . . je voudrais . . .

— Vous voudriez? . . .

— Je vous en prie, monsieur le curé, embrassez-moi.

Le vieux prêtre l'embrassa sur les deux joues, paternellement, et ensuite Bettina:

— Vous m'avez dit bien souvent, monsieur le curé, que Jean était un peu votre fils, — moi aussi, n'est-ce pas? je serai un peu votre fille. Cela vous fera deux enfants, voilà tout!

. . . .

Un mois après, le 12 septembre, à midi, Bettina, dans la plus simple des robes de mariée, traversait l'église de Longueval, pendant que, placée derrière l'autel, la fanfare du 9e d'artillerie sonnait joyeusement sous les voûtes de la vieille église.

Nancy Turner avait sollicité l'honneur de tenir l'orgue en cette 5 circonstance solennelle ; car le pauvre petit harmonium avait disparu. Un orgue aux tuyaux resplendissants se dressait dans la tribune de l'église. C'était le cadeau de noces de miss Percival à l'abbé Constantin.

Le vieux curé dit la messe. Jean et Bettina s'agenouillèrent 10 devant lui ; il prononça la formule de la bénédiction et resta ensuite, pendant quelques instants, en prière, les bras étendus, appelant de toute son âme les grâces du ciel sur la tête de ses deux enfants.

L'orgue fit alors entendre cette même rêverie de Chopin que 15 Bettina avait jouée, la première fois qu'elle était entrée dans cette petite église de village où devait être consacré le bonheur de sa vie.

Et ce fut Bettina cette fois qui pleura.

NOTES

The heavy figures refer to pages, the light figures to lines

1 2 **plus de trente ans**: 'more than thirty years.' *De* is used instead of *que* ('than') before numerals.

1 13 **relevée**: old French for 'afternoon,' still used in law.—**aurait lieu . . . de Longueval**: 'the estate of Longueval would be sold at auction at a session of the civil court of Souvigny.'

1 14 **Souvigny**: an imaginary village somewhere north of Paris, possibly in Normandy.

1 24 **La futaie et les bois**: 'the old forest and the second growth.'

3 5 **tout plein l'église**: *plein* is invariable when it stands before the article or possessive adjective. Cf. *feu la reine* and *la feue reine*, *haut la main* and *la main haute*.

3 7 **Le mois de Marie**: the services of the month of May are specially dedicated to the Virgin Mary.

3 20 **cléricale**: 'belonging to the church party in politics.' The clericals are accused of favoring the temporal power of the Catholic Church, which it has been the policy of the Republic to oppose.

3 31 **plus d'une fois**: cf. note to **1** 2.

4 19 **celui-ci de répondre**: historical infinitive, equivalent to some past tense, usually the past definite; in this case, *celui-ci répondait*.

4 23 **feront ouvrir**: translate the infinitive in the passive voice. The infinitive after *laisser* and *faire* is always active in form.

4 31 **je vous dis que si**: 'I tell you it is.' *Si*, familiar for *oui* in contradicting a negative statement. *Que* is not translated in the expressions *que si*, *que oui*, *que non*.

5 8 **le maintien des sœurs**: nuns are no longer allowed to teach in French schools.

5 17 **canton**: France is divided politically into departments, arrondissements, cantons, and communes. Each canton has a magistrate, and is composed of fifteen or twenty communes.

6 33 **Lui ne l'aimait pas**: emphatic for *il ne l'aimait pas*.

7 26 **quelque chose de sérieux**: an adjective following *quelque chose*, *autre chose*, *rien*, etc., is masculine, and must be preceded by *de*.

7 27 **Saint-Cyr**: a military school in the village of Saint-Cyr, near Versailles, founded by Napoleon in 1803 for training cavalry and infantry officers. The fame of Saint-Cyr is more closely connected, perhaps, with the convent school for daughters of impoverished noblemen, established there by Mme de Maintenon in 1686. The school was swept away by the Revolution in 1793. It was for the young girls of Saint-Cyr that Racine wrote "Athalie" and "Esther."

7 30 **chasseurs d'Afrique**: light cavalry for African service, consisting to-day of about six regiments, stationed in Algeria and Tunis. It was organized in 1831 to fight the Arabian horsemen at the time when the French were engaged in the conquest of Algeria. It is the crack corps of the French army, and has a distinguished record.

8 1 **Paul avait fini son temps**: i.e. the three years of military service formerly required of all young men who did not pass certain professional examinations before the age of twenty. According to the law of 1907, every adult Frenchman, unless physically disabled, was obliged to serve two years in the army. Recently the term has again been put at three years, this time with no distinction in favor of the professions.

8 8 **Aussi . . . dépensait-il**: 'so he spent.' The inversion of the subject pronoun is frequent after a few adverbs, such as **aussi, à peine, peut-être,** etc.

9 7 **Une enchère de cinquante francs**: 'a bid of fifty francs' (above the minimum price of 600,000 francs).

9 27 **fermiers . . . cultivateurs**: '(tenant) farmers . . . agriculturists.' *Fermier* is used of a farmer who leases his land; *cultivateur* corresponds more closely to "grower" or "producer."

9 32 **chez M. Gallard**: 'on the part of Mr. Gallard.'

10 26 **le parc Monceau**: a small and beautiful park in the modern and wealthy quarter of Paris north of the Champs Elysées. Near it is the *rue Murillo* (line 27), and in the same general neighborhood the *boulevards Haussmann* and *Malesherbes*, mentioned below. Baron Haussmann, prefect of the Seine under Napoleon III, made himself famous by reconstructing large parts of the city, including the whole region round about the boulevard that bears his name.

11 14 **Et ce n'est rien encore**: 'and that is n't a circumstance.'

11 30 **au Bois**: the Bois de Boulogne is a large park just outside the western fortifications, much frequented by fashionable Paris. Adjoining it is the race course of Longchamp.

12 3 **les mercredis**: 'the Wednesdays at home.'

12 6 **Rentrons ensemble**: 'let us go home together.'

13 3 **Les accessoires du cotillon**: 'the favors for the German.'

13 16 ***le Petit Journal***: a sensational morning paper of Paris, said to have the largest circulation in the world.

14 3 **vous avez beau être un saint**: 'even if you are a saint.'

14 14 **bien dans son train**: 'well started.'

14 15 **plein les mains**: cf. note to **3** 5.

14 17 **tôt! tôt**: an expression common among coachmen. Translate, 'Get up! Get up, there!'

15 12 **des rallye-papers**: 'paper hunts,' 'hare and hounds.'—**chasses à courre**: 'cross-country hunting with the hounds.'

15 15 **avant qu'il soit longtemps**: 'before long.'

15 19 **chapeaux à haute forme**: 'high hats.'

15 20 **plaqués**: 'drawn close.'—**grandes amazones sans taille**: 'long, half-fitting princesse riding habits.'

16 25 **la botte**: colloquial for 'stable inspection.'

16 28 **Paul rendit la main à son petit cheval**: 'Paul gave his pony her head.'

17 10 **un train d'enfer**: 'a furious pace.'

18 10 **concours d'agrégation**: a competitive examination for a fellowship or professor's diploma, held each year at Paris by the University of France. The number of successful candidates is limited to the number of positions at the disposal of the government, so that only a small fraction of those who come up have a chance of passing. The *concours* mentioned here is of course for the medical school.

20 16 **La guerre éclata**: the Franco-Prussian war of 1870–1871. The defeat of the French by the Prussians brought about the downfall of Napoleon III and the founding of the Third Republic.

20 17 **les mobilisés**: i.e. *la garde nationale mobile*. Translate, 'militia.'

20 32 **Villersexel**: a small town in eastern France, near Belfort, where a battle, claimed as a French victory, was fought in January, 1871.

21 12 **battait l'air de ses deux bras**: 'threw up his hands.'

25 30 **l'École polytechnique**: founded by the Convention in 1794. It is one of a remarkable group of government schools in Paris. It gives a two years' course in preparation for such government service as requires technical scientific knowledge. The student usually completes his training at one of the special *écoles d'application*. According to his rank at graduation, he is given the right of choice between a civil and a military career. Positions in the civil service are better paid and more sought for than those in the army, and are usually chosen, therefore, by those at the head of the class.

26 3 **Le classement de sortie**: 'the graduation rank-list.'

26 5 **l'École des ponts et chaussées**: this school receives pupils from the Polytechnique who wish to train as civil engineers in the government service. —**l'École d'application de Fontainebleau**: this school receives pupils from the Polytechnique who are preparing to enter the artillery or the engineering corps of the army.

26 10 **titres de rente**: 'government annuities.'

27 11 **ça va bien?** 'how goes it?'

27 29 **même que tu m'aideras**: colloquial for *et tu m'aideras.*

29 21 **se tenait**: 'was sitting.'

31 16 **ces damnées**: 'these lost souls.'

33 32 **Il doit y avoir**: 'there must be.'

36 3 **ne faites pas la moue**: 'don't be cross.' ("Moue, *f.*, grimace qu'on fait en allongeant les deux lèvres.")

38 11 **Il n'y avait pas trois quarts d'heure que**: 'it had not been three quarters of an hour since.'

38 21 **vous aurez cependant de mes nouvelles**: 'you will hear from me, however.'

39 18 **la ligne du Nord**: the Northern Railroad, between Paris and various points north.

39 26 **se vendait**: 'was to be sold.' Observe the use of the reflexive instead of the passive voice.

41 8 **y a-t-il eu là quelqu'un pour me connaître?** 'was there anybody there who knew me?'

44 10 **j'eus un accès de faiblesse**: 'I broke down.'

44 12 **J'eus une crise de nerfs et de larmes**: 'I wept hysterically.'

44 23 **Il n'y a pas à y revenir**: 'there 's no taking it back' ('you can't change your mind').

46 10 **à sensation**: 'sensational.'

48 19 **Chopin**: a musician and composer, born in Poland, 1809; died at Paris, 1849.

49 22 **lieutenant en premier**: 'first lieutenant.'

52 24 **Il s'était laissé conduire**: cf. note to **4** 23.

53 1 **la fête patronale**: a kind of fair held once a year to celebrate the birthday of the village patron saint.

54 23, 24 **Sébastopol, Crimée**: in 1853, believing that Russia aimed at the dismemberment of the Turkish Empire, Turkey declared war and was joined by France, England, and Sardinia. The fighting took place on the Crimean Peninsula. Sebastopol, Russia's great naval arsenal on the end of the peninsula, capitulated to the allies in 1855, after withstanding a siege of nearly a year. The Treaty of Paris ensued, granting the claims of Turkey and the allies, and putting an end to further aggressiveness on the part of Russia for some time.

55 2 **la Tunisie**: Tunis, in northern Africa, has been a French protectorate since 1881. At that time the Kroumirs (line 6), a tribe of robber mountaineers, made raids across the border into Algeria, giving the French an excuse for invading Tunis.

56 2 ***Aïda***: an opera on an Egyptian theme by Verdi, first given at Cairo in 1871.

56 13 **l'attache des bras**: 'the shoulders.'

56 21 **Un joli banco**: 'a nice haul.' *Faire banco* is said of a gambler who wins the whole stake.

57 2 **Radamès**: a young Egyptian warrior, lover of Aïda.

57 30 **Turenne**: a famous French general (1611–1675), whose many successful campaigns strengthened the authority of Louis XIV. The battle of Nördlingen, mentioned here, was fought by Condé and Turenne during the campaign in Germany (1644–1647) that ended the Thirty Years' War and resulted in the Peace of Westphalia and the defeat of the House of Austria in Germany. The capture of Dunkirk (the "Dunes") from Condé and the Spaniards in 1658 was followed by the Peace of the Pyrenees (1659). Turenne drove the imperial troops out of Alsace by the victories of Mülhausen (1674) and Turkheim (1675). His tomb is in the Invalides at Paris, near that of Napoleon.

59 18 **la plaine de Passy, la plaine de Monceau**: annexed to Paris in 1861, at the time of the changes made by Baron Haussmann (see note to **10** 26).

60 6 **le cinq pour cent**: government five per cents.

62 6 **flair**: 'foresight,' lit. 'scent,' used of a hunting dog stalking his prey.—**il avait *senti de la baisse* quand il aurait fallu *sentir de la hausse***: 'he had speculated on the fall when he should have speculated on the rise.'

62 21 **faubourg Saint-Germain**: the region on the left bank of the Seine, between the Luxembourg and the Chamber of Deputies. From the fact that this quarter of Paris was for several hundred years given over to the town houses of the aristocracy, the name has come to symbolize all that is exclusive and conservative.

63 12 **en *costume de ville***: 'not in livery.'

63 23 **le *rapide* du Havre**: 'the Havre express.' Le Havre, at the mouth of the Seine, is the seaport for Paris.

64 5 ***à la parisienne, à la russe***: 'in the Parisian style, in the Russian style.' In this expression some word is understood, such as *manière*, *façon*, *mode*.

64 16 **Mazette:** 'whew!'

64 17 **madame Récamier:** (1777–1849) a celebrated beauty and wit of the First Empire.

64 27 **boulevard Haussmann:** cf. note to **10** 26.

65 13 **l'allée des Acacias:** better known as *l'allée de Longchamp*, one of the principal drives in the Bois de Boulogne, leading to the race course of Longchamp.

65 32 **prit tournure:** 'became the fashion.'

67 24 **ses maîtres légitimes:** according to the "legitimists," or royalists, the elder branch of the Bourbon family, dethroned in 1830, is the *maître légitime* of France. French political factions are many-shaded and rapidly changing, but they may perhaps be divided roughly as follows: (1) Nationalists, subdivided into Royalists and Bonapartists; (2) Moderate Republicans; (3) Radicals; (4) Socialists. The last two shade into each other on many points, and include also the "syndicalists."

67 27 **lorsque . . . traditions napoléoniennes:** i.e. when the family of Napoleon comes to the throne.

67 31 **la Chambre:** the Chamber of Deputies, together with the Senate, forms the French legislative body. The Chamber of Deputies meets in the old Palais Bourbon and the Senate in the Luxembourg.

68 2 **la soirée de contrat:** the signing of the marriage contract is an occasion almost as formal as the wedding itself.

68 4 **l'arc de l'Étoile:** (or *l'arc de triomphe de l'Étoile*) a triumphal arch standing at the head of the Champs Elysées, at the juncture of twelve avenues. It was begun by Napoleon I to commemorate his victories of 1805–1806 and completed by Louis Philippe in 1836.

68 5 **l'almanach Bottin:** a directory for Paris and the provinces.

69 14 **Ni moi non plus:** 'nor I, either' ('neither do I').

70 3 **Complet:** 'no more room,' the sign hung out on omnibuses when all the places are taken.

70 25 **Et d'un! A l'autre:** 'that makes one. Now guess the other.'

71 6 **Aussi était-elle:** cf. note to **8** 8.

72 1 **Pas tant que cela:** 'not quite.'

73 4 **comme c'était tenu:** 'how stylish it was.'

73 18 **force est bien de le reconnaître:** 'it cannot be denied.'

73 30 **en l'air:** 'skittish.'

74 2 **les deux chevaux de pointe:** 'the two leaders.'

75 3 **qui sentait tout à fait son Parisien:** 'with quite the Parisian air.'

75 13 **serait-ce? 'can it be?'**

77 29 **C'est à peine si le curé les regarda**: 'the priest hardly looked at them.'

77 33 **ouvrit à deux battants la porte**: 'opened the folding doors.'

78 4 **l'Empire**: the First Empire, founded by Napoleon I in 1804.

79 7 **La robe était décolletée par devant, en carré**: 'the gown was low-necked in front and cut square.'

83 5 **qui attend**: 'waiting.'

83 18 **se prenant déjà de tendresse**: 'already growing fond of.'

85 1 **Vous êtes excellente**: 'you are very kind.'

85 11 **mais que chanter**: the infinitive is often used in exclamations and questions instead of finite forms of the verb.

85 12 ***"Something Childish"***: a poem by Coleridge.

86 15 **Aussi son ambition est-elle**: cf. note to **8** 8.

92 2 **prendre des nouvelles de votre sœur**: 'to inquire about your sister.'

92 10 **en notre nom à toutes les deux**: 'for both of us.'

93 4 **quand le Canada était encore la France**: the French abandoned their Canadian possessions to Great Britain in 1763, at the end of the Seven Years' War.

93 22 **on a voulu vous marier**: 'they wished to arrange a marriage for you.'

96 2 **écoles à feu**: 'target practice.'

97 4 **elle avait porté en plein cœur**: 'it had struck him full in the heart.'

98 16 **ville ouverte**: 'open house.'

99 7 **ça va . . . et ça ne va pas**: 'it 's all right . . . and it is n't all right.'

99 30 **propre**: notice the difference in meaning ('clean') when *propre* follows the noun.

102 20 **elle lui ferait un peu de morale**: 'she would read him a little sermon.'

113 30 **la porte-fenêtre**: 'the glass door.'

117 1 **en wagon**: 'on the train.'

118 11 **de par le monde**: 'somewhere in the world.'

118 17 **Trouville**: a fashionable watering place near Havre.

119 9 **il a pas**: childish cutting short of *il n'a pas*; cf. several similar cases below, as *il a plus* (line 13) and *y avait aussi* (line 23).

119 23 **Guignol**: a Punch and Judy show.

121 10 **à bureau ouvert**: 'on demand.'

121 11 **On viendra s'établir pauvre**: 'people will come and set up as paupers.'

IDIOMS FOR REVIEW

s'agir de

1. Il ne s'agissait que de s'amuser.
2. De quoi s'agit-il?
3. Il s'agissait de la possession d'une grande étendue de terres.
4. Il ne s'agit pas de rechercher ce que je puis valoir.

aller

1. Je vais attendre un de mes amis.
2. Jean allait être nommé sous-lieutenant.
3. Le domaine allait être morcelé.
4. Elle paraissait si heureuse de penser qu'elle allait te revoir.
5. Cela va vous faire de la peine.
6. Ensuite il ira dire adieu à son parrain.
7. Il va partir, le soir même, à six heures.
8. Il va tâcher de se faire envoyer dans un autre régiment.
9. Personne, allez, il n'y aura personne.
10. La chapelle du château allait être transformée en un oratoire protestant.
11. On va s'amuser à Longueval.
12. La misère allait bien m'y contraindre.
13. Il faut beaucoup d'argent pour aller au bout de votre procès.
14. Ils sont allés au-devant des enfants.
15. C'est là ce qui me va le mieux.
16. Il s'en alla du côté du village.
17. Dans une demi-heure, il va partir.
18. Vous allez répondre franchement, n'est-ce pas, aux questions que je vais vous adresser.

s'apercevoir de

1. Je m'en suis aperçu.
2. Les chevaux n'eurent pas le temps de s'apercevoir du changement de main.
3. Jean ne s'était aperçu de rien.

assister à

1. Le curé assista au baptême du petit-fils.
2. Ils allaient avoir l'honneur d'assister à l'arrivée des châtelaines.

attendre, s'attendre à

1. Je vais attendre un de mes amis.
2. Grondez-moi bien, je m'y attends.
3. Il ne faut pas vous attendre à un festin.
4. Ces braves gens s'attendaient un peu à l'apparition de deux princesses de féerie.
5. Nous ne nous y attendions pas du tout.

s'aviser de

1. Jamais il ne s'en était avisé.
2. Ne vous avisez pas de vous en aller.

avoir

1. Le défilé eut lieu au grand trot.
2. La vente du domaine aurait lieu le mercredi.
3. Mme Norton savait avoir affaire à un homme de mérite.
4. Vous aviez hâte de savoir le nom de l'acquéreur.
5. Elle avait huit ans.
6. Nous aurons tous l'air de pauvres.
7. Elle avait peur d'être notée comme cléricale.
8. Il avait besoin d'un secours.
9. Comme vous avez eu raison de venir !
10. Comme il avait l'air malheureux !
11. Ils ont tort de prendre les choses au tragique.
12. Vous avez beau parler.
13. Mais j'ai tort de te dire tout cela.
14. Tu m'as dit que tu avais besoin de me parler.
15. Qu'est-ce que vous avez ?
16. Il avait soixante-douze ans, l'abbé Constantin.
17. Il y a de cela huit ans.
18. Comme il a chaud !
19. Il avait six pieds de haut.
20. Mon parrain a eu tort, dit Jean.
21. Il a hâte d'échapper à ce martyre.
22. Mon beau-frère, il y a huit jours, avait été obligé de partir pour l'Amérique.

23. N'ai-je pas raison de penser que vous m'aiderez à démentir ces histoires ?
24. N'ayez pas peur, je les connais.
25. Tu n'as pas lieu d'être mécontent du résultat.
26. Elle en aurait pour son argent.
27. Tu auras beau dire et beau faire.
28. Je n'ai pas l'âge des confidents.

se charger de

1. C'était elle qui se chargea de tout dans la maison.
2. Personne ne voulait se charger de mes intérêts.
3. Un tapissier se chargea de corriger l'ameublement criard.
4. Vous m'avez offert de vous charger de tous les préparatifs de notre installation.

se défaire de, se débarrasser de

1. Il n'avait jamais pu se défaire de cette habitude.
2. Il se débarrassa de son sabre.
3. Vous avez hâte de vous débarrasser de moi.

devoir

1. Je lui dois ce luxe qui m'entoure.
2. Je vous dois beaucoup d'argent.
3. Je ne dois plus la revoir.
4. Je dois m'en aller, le plus loin possible.
5. Il doit y avoir de l'argent dedans.
6. Vous devez être la sincérité même.
7. Vous devez être inquiet pour vos pauvres.
8. Dans cette église devait être consacré le bonheur de sa vie.
9. Le curé croyait que ces dames devaient se nourrir de choses inusitées.
10. Elle monta dans le train qui devait la conduire à Longueval.
11. Elle devait te présenter à son beau-frère.
12. Nous devions dîner ce soir au château.
13. Il ne devait plus les revoir.
14. Sa mère dut l'arrêter.
15. Le jour où vous devrez partir seul, je vous promets d'avoir du courage.
16. Jean crut devoir intervenir.
17. J'ai dû m'enfuir.

18. On a dû lui parler de cela.
19. Il a dû te laisser de l'argent.
20. Vous avez dû avoir cette pensée.
21. Tu devais être médecin.
22. Ils savent que le régiment doit traverser le village.
23. Il ne devait revenir que dans un mois.
24. Votre sœur doit être étonnée.
25. Il aurait dû rester chez lui.
26. Bettina dut appeler sa sœur à son secours.

douter de, se douter de

1. Il ne faut pas que M. le curé se doute de cela.
2. Je ne sais pas ce que c'est, mais je m'en doute bien un peu.
3. Il ne se doute pas que vous l'avez vu dormir.
4. Je n'en doute pas.
5. Paul ne se doutait de rien.
6. Qui pourrait douter de toi?

être

1. Il était bien pour quelque chose dans la catastrophe.
2. Je n'en suis pas là.
3. On le pria d'être de cette promenade.
4. Jean est de la maison.
5. Il était du conseil municipal.
6. Voyons, où en étais-je?
7. Il ne savait plus du tout où il en était.
8. Nous sommes d'accord pour faire très large la part des pauvres.

faire

1. Il eut la chance de faire partie d'une expédition dans le Sahara.
2. Vous n'allez pas faire à pied, par une telle chaleur, la route de Longueval.
3. Ça me fait de la peine.
4. Ça vous fera du bien de prendre un peu l'air.
5. Cela vous fait du chagrin.
6. Pour faire plaisir à Paul, le curé regarda la jument.
7. On fit venir Jean.
8. Serrez cet argent, et faites attention.
9. Vous me faites peur.

10. Elles firent partie de cet état-major.
11. Laissez-moi faire, dit-elle.
12. Fait-il jour à cinq heures?
13. Il fait nuit maintenant.
14. Il va faire un temps admirable.
15. Elles avaient déjà fait une promenade à pied, dans le parc.
16. Elles se promettaient de faire, le lendemain, une promenade à cheval.
17. Il serait si heureux de leur faire les honneurs de son pays.
18. Je ne sais pas trop comment cela s'est fait.
19. Ne faisons pas de bruit.
20. Tous deux avaient la même pensée: laissons faire le temps.
21. Cela fera l'affaire d'un de mes camarades.
22. En ce moment, un bruit de grelots se fit entendre.
23. J'ai fait de petites économies depuis un mois.
24. Il était chargé de faire un cours aux sous-officiers du régiment.
25. Il faisait là le guet depuis une heure.
26. Jean ne se fit pas d'illusion.
27. Tous deux faisaient partie de la fameuse confrérie.
28. Elle fit bon accueil à Paul.
29. L'argent de Bettina lui faisait horreur.
30. Tant mieux si j'ai eu le bonheur de me faire comprendre.
31. L'amour et la tranquillité font rarement bon ménage dans le même cœur.
32. Je m'amuserai dans cette maison, mais je n'y ferai pas mes frais.
33. Jean se faisait de plus en plus agité.
34. Son impression première allait se faire plus profonde.
35. Nous n'aurions pas fait à tout le monde le même accueil.
36. Les femmes nous feront ouvrir les portes du paradis.
37. Voulez-vous me faire l'honneur de danser avec moi?
38. J'ai fait un gros mensonge, lui dit-elle.

falloir

1. Il vous faut beaucoup d'argent.
2. Il ne vous faut que vingt minutes pour arriver à la gare.
3. Il avait fallu qu'une petite Américaine passât les mers.
4. Il faut cinq ou six minutes pour gagner cette terrasse.
5. Il faudra doter les filles de madame la baronne.
6. Il faudra que j'aille demander cet argent.

mettre, se mettre à

1. Je me suis mise à le comparer avec les autres.
2. Jean se mit à venir très régulièrement.
3. On s'est mis, sur votre recommandation, à nous aimer un peu.
4. Elles se mirent à chanter.
5. Pauline se mit à couper sa chicorée.
6. Ils se mirent à table.
7. Nous nous sommes mis d'accord.
8. Puis il revenait se mettre au vert à la campagne.
9. Le lieutenant mit pied à terre devant le presbytère.
10. Je vois que votre couvert est mis.
11. Je sais très bien mettre le couvert.
12. Dès que je mettrai le pied à Paris, je voudrais pouvoir jouir de Paris.

pouvoir

1. Vous auriez pu être princesse.
2. Cela aurait pu nuire à son avancement.
3. Je me suis demandé comment j'avais jamais pu dire une telle chose.
4. Je n'ai jamais pu en parler à personne.
5. Je pourrais peut-être te donner un bon conseil.
6. Il est libre, il pourrait partir.
7. Moi aussi, je voudrais bien, mais cela ne se peut pas.
8. Tu ne peux pas l'avoir oublié.
9. On a pu dire cela.

prendre, se prendre à

1. Il avait besoin de prendre des renseignements.
2. Elle n'y prend garde.
3. Ma résolution est prise.
4. Pauline avait pris les devants.
5. Il s'en prenait aux circonstances.
6. Elle ne prenait pas un instant la partie au sérieux.
7. Dans ces dix jours tu vas prendre une avance.
8. Je viendrai demain prendre des nouvelles de votre sœur.
9. Jean prend congé de son colonel.
10. En s'y prenant mieux, ils auraient pu trouver le chemin.
11. Tous deux prenaient la route du château.
12. Elle prenait grand plaisir à l'écouter.
13. Elle saurait s'y prendre de telle manière que rien ne troublerait leur amitié.

14. Bettina prit sur la table une boîte de cigares.

15. Elle se prenait déjà de tendresse pour ce pays qui venait de les recevoir et qui allait les garder.

16. Il se décida de prendre de bonne grâce son parti des indiscrétions du curé.

17. La peur le prenait.

18. C'était elle qui, deux fois par semaine, venait prendre l'abbé.

19. Cela ne vous prendra pas beaucoup de temps.

20. Il prend de l'argent dans un tiroir.

21. Vous avez pris soin de me fuir.

tenir

1. Le capitaine tenait son lieutenant en premier pour un officier très habile.

2. Il savait qu'il fallait tenir les paroles de sa mère pour choses sérieuses.

3. Jean se tint à l'écart.

4. Je tiens absolument à vous le dire.

5. Les deux valets de pied se tenaient debout près de la porte.

6. J'ai tenu à venir pour ne pas partir sans vous faire mes adieux.

7. Elle le tenait en grande estime.

8. Madame Marbeau venait tous les soirs tenir le petit harmonium.

9. Tout cela depuis trente ans tenait ensemble.

10. C'était là que d'ordinaire se tenait la vieille marquise.

se tromper

1. Je me trompais tout à l'heure, se disait Jean.

2. Ne vous y trompez pas, c'est un compliment.

3. Prenez garde, vous vous trompez peut-être.

4. En ceci tous deux se trompaient.

5. Vous vous trompez, voici quelqu'un.

valoir, valoir mieux

1. Aussi bien vaut-il mieux que vous sachiez tout.

2. Jean valait mieux que les autres.

3. Il vaudrait mieux tâcher de le réveiller adroitement.

4. L'opinion des marmitons vaut en pareil cas celle des ramoneurs.

5. Il crut que ses grâces personnelles lui valaient cette très cordiale réception.

venir

1. Le mur du parc venait de finir.
2. Il raconta ce qui venait de se passer à Souvigny.
3. C'est très heureux ce qui vient d'arriver.
4. Il venait d'avoir vingt et un ans.
5. Ces dames viennent de vous donner deux mille francs.
6. Il venait de se retirer après fortune faite.
7. Qui est ce monsieur qui vient de nous saluer?
8. Jean venait de lui présenter Paul de Lavardens.
9. Il venait de causer un quart d'heure avec Bettina.
10. La porte venait de se refermer.
11. Le déjeuner vient de finir au château.
12. Je viens d'écrire à madame Scott.
13. Je n'en viendrai jamais à bout.
14. Le piqueur daigna venir lui-même au-devant de ces dames.

vouloir, vouloir dire, vouloir bien, vouloir de, en vouloir à

1. Enfin, que veux-tu, mon pauvre enfant?
2. Je veux bien que M. Reynaud ait pour vous beaucoup d'affection.
3. Il veut bien, n'est-ce pas?
4. Si je pouvais vous en vouloir de quelque chose, je vous en voudrais de cette pensée.
5. Dites, vous voulez bien?
6. Mon parrain sera trop heureux, si vous voulez bien accepter.
7. Ce que je voulais dire, c'est que miss Percival ne me prend pas au sérieux.
8. Je ne veux pas d'une réponse arrachée à votre émotion.
9. Il n'en voulait plus à Jean de ne pas s'être fait médecin.

VOCABULARY

The sign "∾" means the word which stands in black type at the head of the paragraph; thus, **s'∾** under **abattre** means **s'abattre**

à *prep.* to, at, in, on, for
abandon *m.* desertion, ease, unconstraint; **à l'∾** in disorder, at random
abandonner *reg.* abandon, leave, forsake; **s'∾** give up, give way
abat-jour *m.* shade
abattre *irreg.* (**abattant, abattu, abats, abattis**) throw *or* pull *or* bring *or* cut down; **s'∾** fall, alight
abbé *m.* abbot; priest, Father
abnégation *f.* sacrifice, self-denial
abondant -e *adj.* plentiful
abord *m.* approach; **d'∾** first, at first
abri *m.* shelter, refuge, protection
abriter *reg.* shelter, screen
absolu -e *adj.* absolute
absolument *adv.* absolutely
absorber *reg.* absorb
accablement *m.* heaviness, weariness
accabler *reg.* crush, overwhelm, load
accepter *reg.* accept
accès *m.* access, attack, fit
accessoire *m.* accessory, favor (for a german)
accommoder *reg.* suit, accommodate; **s'∾ de** put up with, be content with
accompagner *reg.* accompany
accomplir *reg.* accomplish, fulfill, perform
accord *m.* agreement, tone; **d'∾** agreed, granted; **mettre d'∾** reconcile; **se mettre d'∾** come to an agreement
accorder *reg.* grant, give
accoudé -e *past part.* leaning
accourir *irreg.* (**accourant, accouru, accours, accourus**) hasten, come in haste
accroître (s') *irreg.* (**s'accroissant, accru, m'accrois, m'accrus**) increase, grow
accueil *m.* reception, welcome
accueillir *irreg.* (**accueillant, accueilli, accueille, accueillis**) receive, welcome
accuser *reg.* accuse, charge, blame
acheter *reg.* buy
acheteur *m.* buyer
achever *reg.* finish
acquéreur *m.* buyer
acquisition *f.* purchase
acte *m.* act, action; **∾ de location** lease
additionner *reg.* add up
adjudication *f.* award, auction
adjuger *reg.* award, sell, knock down

admettre *irreg.* (**admettant, admis, admets, admis**) admit
administration *f.* administration
admirer *reg.* admire
admis -e *past part. of* **admettre**
adorateur *m.* admirer
adorer *reg.* adore, worship
adoucir *reg.* soften, allay, tone down
adresse *f.* address, skill
adresser *reg.* direct, address
adroit -e *adj.* clever, skillful
adroitement *adv.* adroitly, skillfully, cleverly
adversaire *m.* adversary
affaire *f.* affair, matter, business; **avoir ∾ à** have to deal *or* do with; **se tirer d'∾** get on, get (one's self) out of a difficulty; **faire l'∾ de** suit
affectueusement *adv.* affectionately
affiche *f.* placard, bill
affliger *reg.* afflict, trouble
affreusement *adv.* frightfully
affreux -se *adj.* frightful, horrible
Afrique *f.* Africa
âgé -e *adj.* aged, old
agenouiller (s') *reg.* kneel down
agir *reg.* act, do; **il s'agit de** the question is
agiter *reg.* agitate, wave, shake; **s'∾** be agitated, move, struggle
agrafe *f.* hook, clasp
agréable *adj.* agreeable, pleasant
agrégation *f.* fellowship; **concours d'∾** examination for a fellowship
agrément *m.* pleasure, comfort
aider *reg.* aid
aille *1st and 3d sing. pres. subj. of* **aller**
ailleurs *adv.* elsewhere; **d'∾** besides
aimable *adj.* amiable, kind
aimer *reg.* love, be fond of, like; **∾ mieux** prefer
ainsi *adv.* thus, so
air *m.* air, look, appearance; **avoir l'∾** seem, look; **au grand ∾** in the open air
aise *f.* ease; **à son ∾** at one's ease, in comfortable circumstances; **à l'∾** comfortable
ajouter *reg.* add
Algérie *f.* Algeria
aligné -e *past part.* in a straight line
allant -e *adj.* active, lively
allée *f.* avenue, walk
alléguer *reg.* allege, plead, urge
allemand -e *adj.* German
aller *irreg.* (**allant, allé, vais, allai**) go; please, suit; **allons!** *or* **allez!** come! indeed! **s'en ∾** go away; **∾ mieux** be better; **∾** *w. infin.* be about to; **∾ grandissant** go on increasing
allonger *reg.* hit, give
allure *f.* gait, pace, behavior
alors *adv.* then
alternativement *adv.* alternately
amazone *f.* riding habit, rider
ambulant -e *adj.* traveling, strolling
âme *f.* soul, mind, heart, feeling, spirit
amener *reg.* bring
américain -e *adj.* American
ameublement *m.* furniture

ami -e *m. f.* friend
amicalement *adv.* amicably, in a friendly manner
amitié *f.* friendship
amour *m.* love
amoureux -se *adj.* in love, enamored; *m. f.* lover, sweetheart
amuser *reg.* amuse, please, entertain; **s'∾** enjoy one's self
an *m.* year
analyser *reg.* analyze
ancien -ne *adj.* ancient, old, former, late
anéanti -e *past part.* prostrated, broken down
ange *m.* angel
anglais -e *adj.* English
Angleterre *f.* England
animé -e *adj.* animated, lively
année *f.* year
annoncer *reg.* announce
antichambre *f.* hall, vestibule
août (*pronounced* oû) *m.* August
apaiser *reg.* appease, soothe, calm; **s'∾** grow calm
apercevoir (s') *irreg.* **(s'apercevant, aperçu, m'aperçois, m'aperçus)** perceive, see
apoplexie *f.* apoplexy
apparaître *irreg.* **(apparaissant, apparu, apparais, apparus)** appear
appareillé -e *past part.* matched
apparence *f.* appearance
apparition *f.* appearance
appartenir *irreg.* **(appartenant, appartenu, appartiens, appartins)** belong; **s'∾** be free, be one's own master
appel *m.* appeal, call
appeler *reg.* call; **s'∾** be named; **il s'appelle** his name is
appétit *m.* appetite
appliquer *reg.* apply
apporter *reg.* bring
apprécier *reg.* value, appreciate
apprendre *irreg.* **(apprenant, appris, apprends, appris)** learn, teach
approcher *reg.* approach
approuver *reg.* approve of
approvisionnement *m.* supply, supplying
appui *m.* support; **à hauteur d'∾** breast-high
appuyer *reg.* support, lean; **s'∾** lean, rest
après *adv. or prep.* after; **d'∾** according to
après-demain *m.* the day after to-morrow
après-midi *f.* afternoon
arbre *m.* tree
arc *m.* arch
ardent -e *adj.* hot, burning, fiery
ardeur *f.* ardor, eagerness, spirit
argent *m.* silver, money
aristocratique *adj.* aristocratic
armée *f.* army
arracher *reg.* pluck, extort, wring, pull off
arranger *reg.* set in order, arrange; **s'∾** settle, suit, fit, manage
arrêt *m.* decree, sentence
arrêter *reg.* stop, decide
arrière *m.* back part; **en ∾** backwards
arrière-grand-père *m.* great-grandfather
arrière-pensée *f.* mental reservation

arrivée *f.* arrival, coming
arriver *reg.* come, arrive, happen, come to pass
arrondi -e *past part.* rounded, full
artifice *m.* art; **feu d'∾** fireworks
artillerie *f.* artillery
artilleur *m.* artilleryman
artiste *m. f.* artist
ascendant *m.* mastery, influence
asile *m.* refuge
assaut *m.* assault, storm
assentiment *m.* assent, consent
asseoir *irreg.* (**asseyant, assis, assieds, assis**) seat, set; **s'∾** sit down
assez *adv.* enough, sufficiently, rather
assidu -e *adj.* assiduous, attentive
assiette *f.* plate
assis -e *past part. of* **asseoir** seated
assistance *f.* assistance, audience, company
assister *reg.* assist, support, be present
assoupir (s') *reg.* grow drowsy, fall asleep
assurément *adv.* surely
assurer *reg.* assure
attache *f.* tie, fastening
attacher *reg.* fasten, tie, attach
attaque *f.* attack
attaquer *reg.* attack, begin
attarder (s') *reg.* delay, be out late
atteindre *irreg.* (**atteignant, atteint, atteins, atteignis**) reach, attain
attelage *m.* team, vehicle
atteler *reg.* put horses to, harness
attendre *reg.* wait, wait for, expect; **s'∾ à** expect
attendri -e *past part.* moved, affected
attendrissement *m.* feeling, emotion, tenderness
attifer *reg.* deck out
attirer *reg.* attract, draw
attribuer *reg.* attribute; **s'∾** assume, claim
auberge *f.* inn
aucun -e *neg. indef. adj.* any, no, not any
aucunement *adv.* not at all, by no means
audacieux -se *adj.* daring, bold
au-delà *adv.* beyond; **∾ de** *prep.* beyond
au-dessous *adv.* underneath; **∾ de** *prep.* under
au-dessus *adv.* above; **∾ de** *prep.* above, over
au-devant *adv.* before; **∾ de** *prep.* toward, before; **aller** *or* **venir au-devant de** go *or* come to meet
audience *f.* audience, session
auditoire *m.* audience
aujourd'hui *adv.* to-day
aumône *f.* alms, charity
aumônier *m.* chaplain
auparavant *adv.* before
auprès *adv.* near, close by; **∾ de** *prep.* near, by, with, to
aussi *adv.* too, also, likewise, therefore, so; **∾ bien** besides
aussitôt *adv.* immediately; **∾ que** as soon as
autant *adv.* as much, as many; **d'∾ mieux** especially, the more
autel *m.* altar
automatiquement *adv.* automatically

autour *adv.* about, round; ∾ **de** *prep.* about, round
autre *indef. adj.* other, different
autrefois *adv.* formerly
autrement *adv.* differently, otherwise
avance *f.* advance, start, advantage; **prendre l'∾** get the start; **à l'∾** *or* **d'∾** beforehand
avancement *m.* advancement, promotion
avancer *reg.* advance, come out
avant *adv.* forward, before; **en ∾!** forward! on!
avantage *m.* advantage
avantageux -se *adj.* advantageous, profitable
avant-hier *adv. or m.* day before yesterday
avant-train *m.* limber (of a gun carriage)
avare *m.* miser
avec *prep.* with, among, by
avenir *m.* future, career, hopes, prospects
aventurier -ère *m. f.* adventurer, adventuress
aveugler *reg.* blind
avidement *adv.* greedily, eagerly
avis *m.* opinion, mind, advice; **changer d'∾** change one's mind
aviser *reg.* advise, think; **s'∾ (de)** dare, think of, take into one's head
avoir *irreg.* **(ayant, eu, ai, eus)** have; **il y a** there is *or* are, it is; **il y a trois semaines** three weeks ago; **il y a une dizaine d'années** some ten years ago; **qu'as-tu?** *or* **qu'avez-vous?** what is the matter with you? **elle avait huit ans** she was eight years old; **∾ tort, raison, froid, chaud, sommeil, peur,** be wrong, right, cold, warm, sleepy, afraid
avoué *m.* attorney
avouer *reg.* confess, own
avril *m.* April

bah *interj.* nonsense!
baignoire *f.* corner box (in a theater)
bail *m.* lease
baiser *m.* kiss
baissé -e *past part.* down, lowered
bal *m.* ball
balbutier (*pronounce* **-tier** *like* **-cié**) *reg.* stammer
balcon *m.* balcony
balle *f.* bullet
balzane *f.* spot
banc *m.* bench, seat, pew
banderole *f.* band, ribbon, streamer
banquette *f.* bench, seat
banquier *m.* banker
baptême (**p** *silent*) *m.* baptism
baptiser (**p** *silent*) *reg.* baptize
baronne *f.* baroness
barre *f.* bar, bolt
barricader *reg.* barricade
bas -se *adj.* low, dark, lowering
bas *adv.* low; **la-∾** yonder; **tout ∾** softly, in a whisper
bas *m.* bottom; **à ∾** down; **en ∾** downstairs
bataille *f.* battle, fight
bataillon *m.* battalion
bâton *m.* stick, cudgel
battant -e *adj.* at work, in full swing; **∾ neuf** brand-new

battant *m.* fold; **porte à deux ∾s** folding doors
batterie *f.* battery
battre *irreg.* (**battant, battu, bats, battis**) beat
bavarder *reg.* chatter
beau, bel, belle *adj.* beautiful, fine, handsome, fair; **avoir beau dire, donner,** etc., say, give, etc., in vain
beaucoup *adv.* many, much
beau-frère *m.* brother-in-law
beauté *f.* beauty
belle *fem. of* **beau**
belle-sœur *f.* sister-in-law
bénéfice *m.* advantage, profit
bénir *reg.* bless
besogne *f.* work, business
besoin *m.* need
bêtise *f.* nonsense, foolishness
bibelot *m.* bauble, trinket
bichonner *reg.* ornament, beautify
bien *adv.* well, properly, finely, much, truly, indeed, very, many; **∾ que** although; **si ∾ que** so that; **eh ∾!** well!
bien *m.* good, welfare, estate, property
bienfaisant -e *adj.* beneficent, kind
bientôt *adv.* soon, shortly
bijou *m*, jewel, trinket
billet *m.* note, letter
blanc, blanche *adj.* white
blanchir *reg.* whiten
blanchissant -e *adj.* growing white
blé *m.* wheat, grain
blessé *m.* wounded man
blesser *reg.* wound
blessure *f.* wound
bleu -e *adj.* blue
bleuté -e *adj.* bluish
bloquer *reg.* blockade, shut up
blottir (se) *reg.* crouch
blouse *f.* smock, blouse
bois *m.* wood, forest; **sous ∾** in the woods
boîte *f.* box
bon -ne *adj.* good, kind; **tout de ∾** in good earnest
bonbonnière *f.* sweetmeat box
bondir *reg.* bound, jump, start
bonheur *m.* happiness, good luck; **par ∾** luckily
bonhomme *m.* good-natured man, simple soul, old codger; **petit ∾** little fellow
bonjour *m.* good morning, good day
bonté *f.* goodness, kindness
bord *m.* shore, bank, edge
border *reg.* run along, border
botte *f.* boot
bouche *f.* mouth
bouchon *m.* cork, stopper, wisp
bouchonner *reg.* rub down
bouger *reg.* stir, move
bouleverser *reg.* upset, unsettle, confuse
bourgeois -e *adj.* commonplace, plebeian; *m. f.* citizen, commoner (not a nobleman)
bourrasque *f.* squall, gust
bout *m.* end; **aller** *or* **venir à ∾ de** succeed in, accomplish; **à ∾ de forces** exhausted
boute-selle *m.* signal to saddle
brancard *m.* shaft
branler *reg.* move, shake
braquer *reg.* turn, point

bras *m.* arm
brave *adj.* brave, true, honest, good, excellent, worthy
bravement *adv.* bravely
bref *adv.* in short
bréviaire *m.* breviary, prayer book
brillamment *adv.* brilliantly
brillant -e *adj.* brilliant, showy
briller *reg.* shine, glitter
brocart *m.* brocade
brochure *f.* pamphlet, tract
broderie *f.* embroidery
broncher *reg.* flinch, stir
brouillard *m.* fog, haze
bruit *m.* noise, report, talk
brûlant -e *adj.* burning, hot
brûler *reg.* burn
brun -e *adj.* brown, dark
brunir *reg.* brown, darken
brusque *adj.* sudden, unexpected
brusquement *adv.* abruptly, suddenly
brusquerie *f.* bluntness, abruptness
brutal -e *adj.* brutal, rough
buffet *m.* sideboard, refreshment room
bureau *m.* desk, office

ça (*contraction of* **cela**) *dem. pron.* that
çà *adv.* here; **∾ et là** here and there
cabaret *m.* tavern
cabinet *m.* office, study; **∾ de toilette** dressing room
cabriolet *m.* cabriolet, light carriage
cacher *reg.* hide
cadeau *m.* gift
cadencé -e *adj.* measured, regular
cadre *m.* frame, list; **∾ de réserve** on the retired list
café *m.* coffee
caisse *f.* case; **en ∾** in cash, on hand
caisson *m.* ammunition wagon
calèche *f.* carriage, barouche
câlin -e *adj.* wheedling, caressing
câlinement *adv.* coaxingly, caressingly
câliner *reg.* fondle, coax
calme *adj.* still, calm
calme *m.* calmness
calmer *reg.* quiet
calomnier *reg.* slander
calviniste *adj.* Calvinistic
camarade *m. f.* comrade, companion
camaraderie *f.* intimacy
campagne *f.* country, campaign
candidat *m.* candidate
canon *m.* cannon
cantique *m.* song, hymn
canton *m.* district, canton
capacité *f.* ability, capacity
capitaine *m.* captain
capital -e *adj.* capital, deadly
car *coörd. conj.* for
caractère *m.* character
carafe *f.* decanter, water bottle
caresser *reg.* caress, cherish
cargaison *f.* cargo, load
carré *m.* square
carrière *f.* career
carrossier *m.* coachmaker
carte *f.* card, map
cartel *m.* clock
cas *m.* case, event; **en tout ∾** at any rate

caserner *reg.* quarter
casser *reg.* break, wear out
cataloguer *reg.* catalogue
catholique *adj. or m.f.* Catholic
cause *f.* cause, case; **à ∾ de** on account of, because of
causer *reg.* cause, chat
cavalerie *f.* cavalry
cavalier *m.* horseman, rider
ce, cet *m.*, **cette** *f.*, **ces** *pl.*, *dem. adj.* this, that, these, those
ce *dem. pron.* this, that, it, they, these, those; **∾ qui** *or* **∾ que** what, which
ceci *dem. pron.* this
céder *reg.* give up, yield
cela *dem. pron.* that; **c'est ∾** that's it, to be sure
celui *m.*, **celle** *f.* (*pl.* **ceux** *m.*, **celles** *f.*) *dem. pron.* that, those; he, she, they
celui-ci *dem. pron.* this, this one, the latter
celui-là *dem. pron.* that, that one, the former
cent *num. adj.* hundred
centaine *f.* hundred
centime *m.* centime (hundredth part of a franc *or* one fifth of a cent)
cependant *adv.* however, nevertheless, yet, meanwhile
cerceau *m.* hoop
cercle *m.* circle, company
cercler *reg.* bind, encircle
cercueil *m.* coffin
certainement *adv.* certainly
certitude *f.* certainty
cerveau *m.* brain
cesse *f.* ceasing
cesser *reg.* cease
chacun -e *indef. pron.* each
chagrin -e *adj.* gloomy, sad
chagrin *m.* sorrow, trouble, vexation, disappointment
chagriner *reg.* grieve
chaîne *f.* chain
chaise *f.* chair
châle *m.* shawl
chaleur *f.* heat
chambre *f.* chamber, room
champ *m.* field
chance *f.* chance, luck, good fortune
changement *m.* change, changing
changer *reg.* change
chanson *f.* song
chant *m.* song, sound, melody
chanter *reg.* sing
chantre *m.* singer, chorister
chapeau *m.* hat
chapelle *f.* chapel, church
chaque *indef. adj.* each, every
charbon *m.* coal, embers
charger *reg.* charge, intrust, load; **se ∾ (de)** take charge of
charité *f.* charity; **faire la ∾** give alms
charmant -e *adj.* charming, delightful
charme *m.* charm, spell
charrette *f.* cart, cartload
chasse *f.* hunt
chasser *reg.* hunt, chase, drive away
chasseur *m.* light infantryman; *pl.* light infantry
chat *m.* cat
château *m.* countryseat, palace, manor

châtelaine *f.* mistress (of a **château**)
chaud -e *adj.* hot, warm
chaumière *f.* cottage
chaussée *f.* road, highway
chef *m.* chief cook
chemin *m.* way, road, path; ∾ **de fer** railway; ∾ **des écoliers** roundabout way, longest way
cheminée *f.* chimney, fireplace
chêne *m.* oak
cher, chère *adj.* dear, beloved
chercher *reg.* seek, look for, get, guess
chère *f.* cheer, entertainment, fare
chéri -e *adj.* dear
cheval *m.* horse; **à** ∾ on horseback
chevaleresque *adj.* chivalrous
chevelure *f.* hair
chevet *m.* pillow, bedside
cheveu *m.* a hair
chez *prep.* at, to, in, at the home of, with, among
chicorée *f.* chicory; **petite** ∾ endive
chiffre *m.* figure, amount, monogram
chirurgien *m.* surgeon; ∾**-major** chief surgeon
chœur *m.* choir, chorus
choisir *reg.* choose
chose *f.* thing
choyer *reg.* pamper, fondle
chronique *f.* chronicle, history
chut *interj.* hush!
cidre *m.* cider
ciel *m.* heaven, sky
cigare *m.* cigar
cime *f.* top, summit
cimetière *m.* churchyard, cemetery
cingler *reg.* lash, strike
cinq *num. adj.* five
cinquantaine *f.* fifty
cinquante *num. adj.* fifty
cinquième *num. adj. or m.* fifth
circonstance *f.* circumstance; **de** ∾ appropriate
circuler *reg.* circulate, spread
cirque *m.* circus
clair -e *adj.* clear
clairement *adv.* clearly
claire-voie *f.* opening; **à** ∾ in open work, of latticework
clameur *f.* clamor, outcry
clarté *f.* clearness
classement *m.* rating, classification
classer *reg.* class, classify
clef (*pronounced* klé) *f.* key
clerc (*final* c *silent*) *m.* scholar
clérical -e *adj.* clerical
client -e *m. f.* customer
clientèle *f.* clients, patrons, connections
clos -e *past part.* closed, inclosed, shut
clouer *reg.* nail, fix
cocarde *f.* cockade
cocher *m.* coachman
cœur *m.* heart; **de bon** ∾ *or* **de grand** ∾ cheerfully, willingly, heartily
coin *m.* corner
collier *m.* necklace, collar
colonie *f.* colony
colonne *f.* column, detachment
colossalement *adv.* enormously
combien *interr. adv.* how much, how many
combinaison *f.* scheme, combination

comble *m.* completion, height, attic; **pour ~ de** to crown
combler *reg.* overwhelm, load, fulfill, gratify
commandant *m.* commanding officer, major
commandement *m.* command
commander *reg.* command
comme *subord. conj.* as, like, as it were, as if, how
commencer *reg.* begin
comment *interr. adv.* how, what!
commun -e *adj.* common, usual
commune *f.* commune, parish
communiquer *reg.* communicate
communs *m. pl.* outbuildings, servants' quarters
compagne *f.* companion
compagnie *f.* company
comparaison *f.* comparison
comparer *reg.* compare
compatissant -e *adj.* compassionate, kind
compétiteur *m.* competitor
complaisamment *adv.* complacently
complaisance *f.* kindness
complet -ète *adj.* complete, full, perfect
complètement *adv.* completely, wholly, utterly
compléter *reg.* complete, finish
compliqué -e *adj.* intricate
complot *m.* plot, conspiracy
composer *reg.* compose
comprendre *irreg.* (**comprenant, compris, comprends, compris**) comprehend, understand
compris -e *past part.* including, included
compromis -e *past part.* compromised, imperiled
comptabilité (p *silent*) *f.* account
compte (p *silent*) *m.* account, reckoning, calculation; **se rendre ~ de** realize; **au bout du ~** after all
compter (p *silent*) *reg.* count, intend, expect, grudge, value
comte *m.* count
comtesse *f.* countess
conclure *irreg.* (**concluant, conclu, conclus, conclus**) conclude, infer
concours *m.* meeting, competitive examination
concurrence *f.* competition, opposition
condamner (m *silent*) *reg.* condemn
conducteur *m.* driver
conduire *irreg.* (**conduisant, conduit, conduis, conduisis**) conduct, lead, drive
conduite *f.* conduct, behavior
confesse *noun used only after* **à** *or* **de**, *without gender*, confession
confiance *f.* confidence, reliance, trust; **de ~** confidently, reliable
confiant -e *adj.* confidential, frank
confident *m.* confidant
confondre *reg.* confound, confuse
conformer (se) *reg.* conform, comply
confrérie *f.* brotherhood, company
confus -e *adj.* ashamed, confused
confusément *adv.* confusedly, indistinctly
congé *m.* leave; **prendre ~** take leave, retire
congédier *reg.* dismiss
conjurer *reg.* implore, entreat

connaître *irreg.* (**connaissant, connu, connais, connus**) know
conquérir *irreg.* (**conquérant, conquis, conquiers, conquis**) conquer
conquête *f.* conquest
consacrer *reg.* consecrate, devote, sanctify, bless
conscience *f.* conscience; **en ∼** conscientiously
conseil *m.* counsel, advice, council, board
consentement *m.* consent
consentir *irreg.* (**consentant, consenti, consens, consentis**) consent, agree
considérer *reg.* consider
consommé *m.* soup
conspirer *reg.* conspire
consterner *reg.* astound, dismay
constituer *reg.* constitute
consulter *reg.* consult
conte *m.* story, tale
contenance *f.* extent, countenance
contenir *irreg.* (**contenant, contenu, contiens, contins**) contain, hold, restrain
content -e *adj.* pleased, glad
contestation *f.* contest, dispute
continuer *reg.* continue, keep on
contraindre *irreg.* (**contraignant, contraint, contrains, contraignis**) constrain, compel, force
contrainte *f.* constraint
contraire *m.* contrary, opposite; **au ∼** on the contrary
contrarier *reg.* vex
contrat *m.* contract
contre *prep.* against
contretemps *m.* disappointment, mischance
convenir *irreg.* (**convenant, convenu, conviens, convins**) agree, suit, fit, be proper, become
coquet -te *adj.* coquettish
corbeille *f.* basket
cordial -e *adj.* cordial, hearty, sincere
cordialement *adv.* heartily, sincerely
corps *m.* body
correctement *adv.* correctly
correction *f.* correctness
corriger *reg.* correct, rectify
corsage *m.* waist (of a dress)
costume *m.* costume
côte *f.* rib, side; **∼ à ∼** side by side
côté *m.* side, direction; **à ∼ (de)** close by; **du ∼ de** toward, in the direction of
cou *m.* neck
couchant -e *adj.* setting
coucher *reg.* put to bed, lay; **se ∼** go to bed
couchette *f.* bedstead
coude *m.* elbow, bend, angle
couleur *f.* color
couloir *m.* corridor, hall
coup *m.* blow, stroke; **tout à ∼** *or* **d'un seul ∼** suddenly; **tout d'un ∼** at once, all at once; **∼ de foudre** thunderbolt, stroke of lightning
coupable *adj.* culpable, guilty
coupé *m.* coach, compartment (in a railway carriage)
couper *reg.* cut
cour *f.* court, yard; **faire la ∼ à** court
courageusement *adv.* bravely, courageously

courageux -se *adj.* courageous, brave
courant *m.* current, stream; **au ∾ de** familiar with, informed of
courir *irreg.* (**courant, couru, cours, courus**) run
couronne *f.* crown
cours *m.* course, stream, current; **faire un ∾** give a course of lectures
course *f.* race, journey, walk, errand
court -e *adj.* short, brief
coussin *m.* cushion
couteau *m.* knife
coûter *reg.* cost; **en ∾** be painful, be an effort
coutume *f.* custom, habit
couture *f.* seam
couvert *m.* cover (plate, spoon, knife and fork); **mettre le ∾** set the table
craindre *irreg.* (**craignant, craint, crains, craignis**) fear
crainte *f.* fear
crânerie *f.* dash, swaggering
créance *f.* debt, credit
crémaillère *f.* pot-hanger; **pendre la ∾** give a house-warming
crème *f.* cream
créneler *reg.* crenelate, indent
crête *f.* crest, top
crever *reg.* burst, break, tear
cri *m.* cry, exclamation
criard -e *adj.* loud, glaring, gaudy
criée *f.* auction
crier *reg.* cry, shout
criminel *m.* criminal, culprit
crise *f.* crisis, paroxysm
croire *irreg.* (**croyant, cru, crois, crus**) believe
croquis *m.* outline, sketch
cru -e *past part. of* **croire**
cruauté *f.* cruelty
cruel -le *adj.* cruel
cruellement *adv.* cruelly
cueillir *irreg.* (**cueillant, cueilli, cueille, cueillis**) pick, gather
cuisine *f.* kitchen
cuisinier -ère *m. f.* cook
cultivateur *m.* farmer, husbandman, grower
cure *f.* living, parish
curé *m.* parish priest, vicar, Father
curieusement *adv.* curiously
curieux -se *adj.* curious, inquisitive

daigner *reg.* deign, condescend
daim *m.* deer, buck
dame *interj.* why! indeed! goodness!
dame *f.* lady
danger *m.* danger, risk
dans *prep.* in, into, to
danse *f.* dance, dancing
danser *reg.* dance
danseur -se *m. f.* dancer, partner
dater *reg.* date, reckon; **à ∾ de** reckoning from, from
de *prep.* of, from, by, with, any, to, in, on; *before numerals used instead of* **que** than
débâcle *f.* downfall, ruin, bankruptcy, disaster
débarquer *reg.* land
débarrasser de (se) *reg.* take off, get rid of
débattre (se) *irreg.* (**se débattant, débattu, me débats, me débattis**) struggle
déborder *reg.* overflow, run over

debout *adv.* upright, standing
débrider *reg.* unbridle
début *m.* beginning
débuter *reg.* make one's first appearance
déchirer *reg.* tear, wound, break
décidément *adv.* decidedly, positively
décider (se) *reg.* decide, make up one's mind
décisif -ve *adj.* decisive, conclusive
déclarer *reg.* declare
décolleté -e *adj.* in low-necked dress
décourager *reg.* discourage; **se** ∾ be discouraged
découvert -e *past part. of* **découvrir** uncovered, open
découvrir *irreg.* (**découvrant, découvert, découvre, découvris**) discover
décrocher *reg.* unhook, unfasten
dedans *adv.* within, inside
déesse *f.* goddess
défaire *irreg.* (**défaisant, défait, défais, défis**) undo; **se** ∾ come undone, get rid
défaut *m.* defect, fault
défilé *m.* defiling, filing off, departure
défiler *reg.* march past, defile
défini -e *adj.* definite, defined
dégager *reg.* show, reveal, free, disengage
degré *m.* degree, extent
dehors *adv.* out, out of doors; **au** ∾ outside
déjà *adv.* already
déjeuner *reg.* breakfast, lunch
déjeuner *m.* breakfast, lunch
delà *adv.* beyond; **au-**∾ beyond
délicat -e *adj.* delicate, graceful
délicatement *adv.* gracefully
délicieusement *adv.* delightfully, charmingly
délicieux -se *adj.* delicious, delightful, charming
délire *m.* delirium, deliriousness
demain *adv.* to-morrow
demande *f.* request
demander *reg.* ask, beg; **se** ∾ wonder
démarche *f.* gait, walk
déménagement *m.* removal, moving
démentir *irreg.* (**démentant, démenti, démens, démentis**) contradict, deny
démesuré -e *adj.* excessive, extravagant
demeurer *reg.* live, reside
demi -e *adj.* half
demi-sommeil *m.* doze
demoiselle *f.* young lady
dénicher *reg.* find out, discover
dénoncer *reg.* inform against, report
dentelle *f.* lace
dentiste *m.* dentist
départ *m.* departure, starting
dépasser *reg.* surpass, excel
dépêche *f.* dispatch
dépendance *f.* outbuilding
dépense *f.* expense, outlay
dépenser *reg.* spend
dépensier -ère *adj.* extravagant
dépité -e *past part.* vexed
déplacer *reg.* displace, move
déplaire *irreg.* (**déplaisant, déplu, déplais, déplus**) displease, offend

déployer *reg.* stretch, spread, deploy
déposer *reg.* lay down, deposit
depuis *adv. or prep.* since, from, for
député *m.* deputy, member of the lower house
déraisonnable *adj.* unreasonable, preposterous, enormous
déranger *reg.* derange, disturb
dernier -ère *adj.* last
dérober (se) *reg.* avoid, shun
derrière *adv. or prep.* behind; **par ∾** behind
dès *prep.* from; **∾ que** when, as soon as
désastre *m.* disaster
désastreux -se *adj.* disastrous
descendre *reg.* descend, go *or* come down, alight
désenchantement *m.* disenchantment, disappointment
désespéré -e *adj.* desperate
désespérer *reg.* drive to despair, vex, torment
désespoir *m.* despair, desperation
déshabiller *reg.* undress
désigner *reg.* designate, appoint, point to
désir *m.* desire, wish
désirer *reg.* desire, wish
désœuvré -e *adj.* unoccupied, idle
désolé -e *adj.* afflicted, disconsolate, grieved
désordonné -e *adj.* disorderly, dissolute
désordre *m.* disorder, confusion
désorienter *reg.* mislead, bewilder
desseller *reg.* unsaddle
dessin *m.* drawing, sketch
dessiner *reg.* draw
destinée *f.* destiny, career
destiner (se) *reg.* be destined *or* intended
détachement *m.* freedom, separation
détacher (se) *reg.* stand out, contrast, start
détail *m.* detail, trifle
déterrer *reg.* discover, unearth
détirer *reg.* stretch
détour *m.* winding, turning, byway
détourner *reg.* turn away, turn aside
dette *f.* debt
deux *num. adj.* two; **tous les ∾** *or* **toutes les ∾** both
deuxième *num. adj.* second
devant *adv. or prep.* before, in front of
devant *m.* front; **prendre les ∾s** go *or* start first
devenir *irreg.* (**devenant, devenu, deviens, devins**) become; **que deviendrai-je?** what will become of me?
deviner *reg.* guess
devoir *irreg.* (**devant, dû, dois, dus**) owe, must, be obliged, ought
devoir *m.* duty
dévorer *reg.* devour, squander
dévoué -e *adj.* attentive
dévouement *m.* devotion
diable *m.* devil, fellow
diamant *m.* diamond
Dieu *m.* God; **mon ∾!** goodness!
difficile *adj.* difficult, hard
difficilement *adv.* with difficulty
digne *adj.* worthy, dignified
dimanche *m.* Sunday

diminuer *reg.* diminish, reduce, decrease
dîner *reg.* dine
dîner *m.* dinner
dînette *f.* little dinner
dire *irreg.* (**disant, dit, dis, dis**) tell, say; **c'est dit,** all right; **c'est-à-dire** that is to say; **tu l'as dit** *or* **vous l'avez dit** precisely, just so
directement *adv.* directly
directrice *f.* mistress
diriger (se) *reg.* start, go
discours *m.* speech, talk
discret -ète *adj.* discreet
discutable *adj.* debatable
discuter *reg.* discuss, bargain, trifle
disparaître *irreg.* (**disparaissant, disparu, disparais, disparus**) vanish
disposer *reg.* dispose, prepare
disputer *reg.* contend, contest
dissiper *reg.* dissipate, scatter, dispel
distinctement *adv.* clearly, distinctly
distingué -e *adj.* distinguished
distinguer *reg.* distinguish, separate
distraire *irreg.* (**distrayant, distrait, distrais,** ——) divert, distract, entertain
distribuer *reg.* distribute
divan *m.* divan, sofa
diviser *reg.* divide
dix *num. adj.* ten
dix-huit *num. adj.* eighteen
dizaine *f.* ten or so, ten or more
docilement *adv.* quietly, calmly
domaine *m.* estate
domestique *m.* servant
donc *adv.* therefore, then, so, pray, do
donner *reg.* give
dont *rel. pron.* whose, of which
doré -e *adj.* gilt, golden
dormir *irreg.* (**dormant, dormi, dors, dormis**) sleep
dos *m.* back
dot (*sound the* **t**) *f.* marriage portion
doter *reg.* give a marriage portion
doucement *adv.* sweetly, gently, softly
douceur *f.* kindness, gentleness, pleasure
douleur *f.* grief, pain
douloureusement *adv.* painfully
douloureux -se *adj.* painful, sorrowful
doute *m.* doubt
douter (de) *reg.* doubt; **se ~ (de)** suspect
douteux -se *adj.* doubtful, dubious
doux, douce *adj.* sweet, soft, gentle, mild, pleasant
douze *num. adj.* twelve
drapeau *m.* flag
dresser (se) *reg.* stand
dressoir *m.* dresser, sideboard
droit -e *adj.* straight, right
droit *m.* right, due
droite *f.* right hand, right
droiture *f.* integrity, honesty
drôle *adj.* strange, funny
dû, due *past part. of* **devoir**
duc *m.* duke, phaeton
duquel *rel. pron. contracted with prep.* of which, of whom, whose
durée *f.* duration

durement *adv.* hardly, harshly
durer *reg.* last

eau *f.* water
ébahi -e *adj.* wondering, staring
ébahissement *m.* amazement
éblouissant -e *adj.* dazzling
ébranler *reg.* shake, disturb, unsettle
écart *m.* aside; **à l'∾** aside, apart
écarter (s') *reg.* go away
échapper (à) *reg.* escape from
échelle *f.* ladder
éclair *m.* flash of lightning
éclairer *reg.* light up
éclat *m.* brightness, glitter, noise, burst, magnificence, glory
éclatant -e *adj.* bright, dazzling
éclater *reg.* burst forth, fly abroad, break out, blaze out, shine, flash, begin
école *f.* school
écolier *m.* schoolboy
économe *adj.* economical
écossais -e *adj.* Scotch
écouler (s') *reg.* pass away, elapse
écouter *reg.* listen to, hear, pay attention
écraser *reg.* crush
écrier (s') *reg.* cry out, exclaim
écrire *irreg.* (**écrivant, écrit, écris, écrivis**) write
écrouler (s') *reg.* fall down, fall to pieces
écurie *f.* stable
écuyère *f.* horsewoman, circus rider
effacer *reg.* efface
effarer *reg.* frighten
effet *m.* effect, fact
efforcer (s') (de) *reg.* strive, try
effrayer *reg.* frighten
effroi *m.* fright, terror
effroyable *adj.* frightful, prodigious
égal -e *adj.* equal, like
également *adv.* likewise
égard *m.* regard, respect
église *f.* church
égoïste *adj.* selfish
égoïste *m. f.* selfish person
égrener *reg.* shell
élan *m.* burst, outburst, transport
élève *m. f.* pupil, scholar
élevé -e *adj.* grand, lofty
élever *reg.* raise, lift up, bring up; **s'∾** rise
éloigner (s') *reg.* go away
embarquer (s') *reg.* embark
embarras *m.* confusion, embarrassment
embarrasser *reg.* embarrass, puzzle
embrasser *reg.* embrace, kiss
embrouiller *reg.* confuse; **s'∾** get confused
émerger *reg.* emerge
émigré *m.* emigrant
emmener *reg.* take away, take along
émoi *m.* emotion, flutter
emparer (s') (de) *reg.* take possession of, seize
empêcher *reg.* prevent, hinder
empêtrer *reg.* embarrass
emploi *m.* employment, office
emporter *reg.* carry away, take away; **s'∾** get angry, fly into a passion; **l'∾ sur** get the victory over
empressé -e *adj.* assiduous, eager
empresser (s') *reg.* hasten
emprunt *m.* borrowing, loan

ému -e *past part. of* **émouvoir** moved, affected
en *pers. or indef. pron.* of it, of them, some, any
en *prep.* in
encadrement *m.* frame, setting
enchantement *m.* enchantment
enchanter *reg.* charm, delight
enchère *f.* bid
enchevêtrer (s') *reg.* get entangled *or* confused
encombrer *reg.* encumber, fill
encore *adv.* yet, still, again, too
encre *f.* ink
endormi -e *adj.* asleep, sleeping
endormir *irreg.* (**endormant, endormi, endors, endormis**) put to sleep; **s'∾** fall asleep
endroit *m.* place
endurcir (s') *reg.* harden, grow hard
énergique *adj.* energetic, forcible
enfance *f.* infancy, childhood
enfant *m. f.* child; **petits-enfants** grandchildren
enfantillage *m.* childishness
enfantin -e *adj.* childish
enfer *m.* perdition; **un train d'∾** a furious pace
enfermer *reg.* shut, inclose
enfin *adv.* finally, however
enfouir *reg.* hide, bury
enfuir (s') *reg.* run away
engager *reg.* engage, involve; **s'∾** enlist, begin, enter upon
engouffrer (s') *reg.* be engulfed, rush
engourdir (s') *reg.* become sleepy
engourdissement *m.* numbness, dozing
enjoué -e *adj.* sprightly, lively
enjouement *m.* playfulness, gayety
enlever *reg.* carry off, remove
ennui *m.* weariness, vexation
ennuyer *reg.* weary, annoy
énorme *adj.* huge
énormément *adv.* enormously, prodigiously
enrhumer (s') *reg.* catch cold
enrichir *reg.* enrich
ensemble *adv.* together
ensoleillé -e *adj.* sunny
ensommeillé -e *adj.* sleepy
ensuite *adv.* afterwards, then
entamer *reg.* begin
entassement *m.* heap, accumulation
entasser *reg.* accumulate, huddle
entendre *reg.* hear, understand; **∾ dire** hear; **s'∾** agree, get on, understand; **faire ∾** utter, hint
entendu -e *adj.* intelligent, knowing, agreed, arranged; **bien ∾** of course
enterrement *m.* burial
enthousiasme *m.* enthusiasm
enthousiaste *adj.* enthusiastic
entier -ère *adj.* entire, whole, entirely
entièrement *adv.* entirely
entourer *reg.* inclose, surround
entr'acte *m.* interval between acts
entraîner *reg.* hurry away, draw, drag
entre *prep.* between, in
entrée *f.* entrance
entrer *reg.* enter
entretien *m.* maintenance, interview, conversation

entrevoir *irreg.* (**entrevoyant, entrevu, entrevois, entrevis**) get a glimpse of, foresee
entrevue *f.* interview, meeting
entr'ouvrir *irreg.* (**entr'ouvrant, entr'ouvert, entr'ouvre, entr'ouvris**) half open
envahir *reg.* invade, overrun
envelopper *reg.* wrap up, surround
enverra *3d sing. fut. of* **envoyer**
envie *f.* desire
environs *m. pl.* vicinity
envoyer *reg.* send
épanouir (s') *reg.* expand, bloom
épargner *reg.* save, economize
épars -e *adj.* scattered, disheveled, loosened
épaule *f.* shoulder
éperdu -e *adj.* bewildered
éperon *m.* spur
épi *m.* head, ear (of wheat, etc.)
éplucher *reg.* pick, clean, pare
époque *f.* epoch, time
épouser *reg.* marry
épouvantable *adj.* frightful
épouvante *f.* terror, dismay
épouvanter *reg.* terrify
épreuve *f.* proof, ordeal
éprouver *reg.* feel
épuiser *reg.* exhaust
équipement *m.* outfit, equipment
erreur *f.* error
escalier *m.* stairs
escarpé -e *adj.* steep, rugged
espace *m.* space, place
espagnol -e *adj.* Spanish
Espagnol -e *m. f.* Spaniard
espérance *f.* hope, expectation
espérer *reg.* hope, expect
espoir *m.* hope
esprit *m.* mind, intellect, wit
esquiver (s') *reg.* escape, slip away
essayer *reg.* try, attempt
essentiel -le *adj.* essential
estafilade *f.* cut, scratch
estime *f.* esteem, regard
estomac (**c** *silent*) *m.* stomach
et *coörd. conj.* and; ∾ . . . ∾ both . . . and
établir (s') *reg.* settle, set up (in business), establish one's self
étage *m.* story, floor
étaler *reg.* spread out
étape *f.* day's march
état *m.* state, condition; **∾-major** staff; **en ∾ de** able to
éteindre (s') *irreg.* (**s'éteignant, éteint, m'éteins, m'éteignis**) go out, die away
étendre *reg.* spread, expand, extend
étendue *f.* extent
éternel -le *adj.* eternal
étinceler *reg.* sparkle, gleam
étoile *f.* star; **à la belle ∾** in the open air
étole *f.* stole
étonné -e *adj.* astonished
étonnement *m.* astonishment
étonner *reg.* astonish
étouffer *reg.* suffocate, choke
étrange *adj.* strange
étranger -ère *adj.* strange, foreign
étranger -ère *m. f.* foreigner, stranger
être *irreg.* (**étant, été, suis, fus**) be; **∾ de** belong to, make one of; **∾ pour quelque chose** have something to do with, have a share

in; **en ~ à** leave off at, come to, be reduced to
étreinte *f.* grasp, pressure
étroit -e *adj.* narrow, close
étude *f.* study
étudier *reg.* study
étui *m.* case
eux *disj. pers. pron.* they, them
évanouir (**s'**) *reg.* vanish
évaporé -e *adj.* giddy, thoughtless
éveiller (**s'**) *reg.* wake up
événement *m.* event
éventualité *f.* contingency
évêque *m.* bishop
évidemment *adv.* evidently
éviter *reg.* avoid
exact -e *adj.* exact, correct, punctual
exactement *adv.* exactly, punctually
exagérer *reg.* exaggerate
exaltation *f.* excitement
exalter (**s'**) *reg.* become excited
examen *m.* examination
examiner *reg.* examine
excédent *m.* surplus
exceller *reg.* excel
excessivement *adv.* excessively
exciter *reg.* excite
excuser *reg.* excuse, pardon
exécuter *reg.* execute, perform
exemple *m.* example; **par ~!** indeed! I dare say!
exercer *reg.* exercise, practice, exert
exilé *m.* exile
exister *reg.* exist
expatrier *reg.* expatriate
expédient *m.* expedient, makeshift
expéditionnaire *adj.* expeditionary, sent on an expedition
expier *reg.* expiate, atone for
explication *f.* explanation
expliquer *reg.* explain
exquis -e *adj.* exquisite

face *f.* front; **en ~** opposite
fâché -e *adj.* sorry
fâcher (**se**) *reg.* become angry
facile *adj.* easy
facilement *adv.* easily, readily
façon *f.* way, manner
faculté *f.* power, means, option
faiblesse *f.* weakness, failing
faïence *f.* earthenware
faillir *irreg.* (**faillant, failli, faux, faillis**) be on the point of, come near, fail
faim *f.* hunger
faire *irreg.* (**faisant, fait, fais, fis**) do, make; **se ~** happen; **~ attention** take care, pay attention; **~ jour** be light; **~ nuit** be dark; **~ corps** form one body, belong together; **~ partie de** make one of
fait -e *past part. of* **faire**
fait *m.* fact, act, deed; **tout à ~** entirely, quite
falloir *irreg.* (——, **fallu, faut, fallut**) must, ought, be necessary, be obliged, need, take
fameux -se *adj.* celebrated
familier -ère *adj.* familiar
familièrement *adv.* familiarly
famille *f.* family
fanfare *f.* flourish (of trumpets)
fantaisie *f.* fancy, whim
fantastique *adj.* fantastic

fat (*sound the* **t**) *m. or adj.* fop, foppish
fatigué -e *adj.* tired
fatiguer *reg.* weary
faubourg *m.* suburb, district
faufiler (se) *reg.* slip into
faut *3d sing. pres. ind. of* **falloir**
faute *f.* fault, mistake; **ne pas se faire ∾ de** not to refrain from
fauteuil *m.* armchair
faux, fausse *adj.* false, untrue
faveur *f.* favor
fée *f.* fairy
féerie *f.* fairyland, fairy scene
fêlé -e *adj.* cracked, harsh
femme *f.* woman, wife; **∾ de chambre** lady's maid
fenêtre *f.* window
fer *m.* iron
ferme *adj.* firm, steady
ferme *f.* farm
fermer *reg.* shut
fermier *m.* farmer, tenant
fermière *f.* farmer's wife
ferraille *f.* old iron
festin *m.* feast, banquet
fête *f.* holiday, festival, birthday; **se faire une ∾ de** anticipate much pleasure from
feu *m.* fire
feuillage *m.* foliage
feuille *f.* leaf
fier -ère *adj.* proud
fièrement *adv.* proudly; (*popularly*) capitally, finely
fièvre *f.* fever
figure *f.* face, appearance
figurer *reg.* figure
fil *m.* thread, edge, line
filet *m.* thread, line
fille *f.* girl, maid, daughter
fillette *f.* lass, little girl
filleul *m.* godson
fils *m.* son
fin -e *adj.* fine, dainty, exquisite
fin *f.* end
financier -ère *adj.* financial
finir *reg.* finish, end; **à n'en plus ∾** without end
fixe *adj.* fixed, settled
fixer *reg.* fix, fasten
flanc *m.* flank, side
flatter *reg.* flatter
fléchir *reg.* bend, persuade
fleur *f.* flower
flot *m.* wave, flood, cloud, crowd
flotter *reg.* float
foi *f.* faith, belief
fois *f.* time; **à la ∾** at the same time; **une ∾** once
folie *f.* madness, extravagance, excess
folle *fem. of* **fou**
follement *adv.* foolishly, extravagantly
fonction *f.* duty, office
fonctionner *reg.* work, act
fond *m.* bottom, basis, depth, farther end, background; **au ∾** in reality, at heart
fonder *reg.* found, establish
fondre *reg.* melt, burst
forain -e *adj.* itinerant
force *f.* strength, necessity; **à ∾ de** by dint of, by repeated
forcer *reg.* compel
forêt *f.* forest
forme *f.* form, crown (of a hat)
former *reg.* form
formule *f.* formula, form

fort -e *adj.* strong, severe, hard, proficient, clever
fort *adv.* very, much
fortement *adv.* strongly, forcibly
forteresse *f.* fortress
fou, fol, folle *adj.* mad, foolish, wild
foudre *f.* thunder, lightning
foudroyant -e *adj.* striking, overwhelming
fouet *m.* whip
fouillis *m.* mass, confusion
foule *f.* crowd, multitude
fourchette *f.* fork
fourneau *m.* stove, range
fournir *reg.* furnish
fourrager *reg.* rummage
fracas *m.* crash, noise, din
frais, fraîche *adj.* cool, fresh
frais *m. pl.* expenses
franc, franche *adj.* free, unconstrained, frank
franc *m.* franc (nearly twenty cents)
français -e *adj.* French
Français -e *m. f.* Frenchman, Frenchwoman
franchement *adv.* frankly, freely, sincerely
franchise *f.* frankness, sincerity
frapper *reg.* strike, knock
fraternellement *adv.* fraternally
frayeur *f.* fright
frère *m.* brother
fricot *m.* (*familiar*) mess, stew
frissonner *reg.* shiver
frivole *adj.* frivolous, trifling
froid -e *adj.* cold
froid *m.* cold
front *m.* forehead
frontière *f.* frontier, limit
fuir *irreg.* (**fuyant, fui, fuis, fuis**) fly, shun, avoid
fumer *reg.* smoke
furieux -se *adj.* mad, raging, fierce
fusillade *f.* firing
futaie *f.* forest, timber trees; **haute** ~ forest of full-grown trees

gagner *reg.* gain, win, reach, earn; **se** ~ be contagious
gai -e *adj.* gay, merry, lively, mirthful
gaiement *adv.* gayly, merrily
gaieté *f.* gayety, cheerfulness
galant -e *adj.* generous, gallant
galerie *f.* gallery, corridor, passage
galon *m.* lace, strip, braid
galop *m.* gallop
galoper *reg.* gallop
gamin *m.* boy, urchin, rogue
gant *m.* glove
garantie *f.* guarantee
garçon *m.* boy, lad, bachelor, waiter, fellow
garde *m.* keeper
garde *f.* guard, watch, care; **prendre** ~ mind, take care
garder *reg.* keep
gare *f.* station
garni -e *adj.* furnished
garnison *f.* garrison
gâter *reg.* spoil, pet
gauche *adj.* left
gauche *f.* left hand
gelée *f.* jelly
gêne *f.* constraint, annoyance
gêner *reg.* embarrass, annoy, be in the way

généralement *adv.* generally
généreux -se *adj.* generous, noble
genou *m.* knee
gens *m. f. pl.* people, persons, servants
gentil -le *adj.* pretty, nice, fine
gentilhomme *m.* nobleman, gentleman
gentillesse *f.* prettiness, gracefulness
gentiment *adv.* prettily, neatly, nicely
geste *m.* gesture
gigot *m.* leg of mutton
glace *f.* ice, ice cream, glass
glacial -e *adj.* icy
glisser *reg.* slip, slide
gourmandise *f.* gluttony, greediness
goût *m.* taste
goûter *reg.* taste, enjoy
goutte *f.* drop, gout
gouvernante *f.* governess
gouvernement *m.* government, management
grâce *f.* grace, favor, thanks; **de ∾** I beg of you; **en ∾** as a favor
grand -e *adj.* great, wide, tall, large
grandir *reg.* grow, grow up
grand'mère *f.* grandmother
grand-père *m.* grandfather
gravement *adv.* gravely, solemnly
graver *reg.* engrave
gré *m.* will, wish, pleasure
grêle *f.* hail, hailstorm
grelot *m.* bell
grille *f.* grating, gate
grimpant -e *adj.* climbing
gris -e *adj.* gray, lowering
griser (se) *reg.* become intoxicated
griserie *f.* intoxication
grisette *f.* workgirl, shopgirl
grisonner *reg.* turn gray
gronder *reg.* scold
gros -se *adj.* large, thick
grossir *reg.* increase, grow big
grouper *reg.* group
guère *neg. adv.* (**ne . . . ∾**) scarcely, hardly, not much, not often
guérir *reg.* cure, get well
guerre *f.* war
guet *m.* watch; **faire le ∾** keep watch
guetter *reg.* watch for, wait for
guide *m.* guide
guide *f.* rein
guilleret -te *adj.* gay, lively

[Words in which initial **h** is aspirate are marked thus, ʻ.]

habile *adj.* able, skillful
habileté *f.* ability, skill
habiller *reg.* dress, clothe
habitant *m.* inhabitant
habiter *reg.* inhabit
habitude *f.* habit, custom
habitué -e *m. f.* frequenter, visitor
habituer *reg.* accustom
ʻhaie *f.* hedge
ʻhaïr *irreg.* (**haïssant, haï, hais, haïs**) hate, detest
ʻhalte *f.* halt, stop
ʻhameau *m.* hamlet
ʻhangar *m.* shed
ʻhardi -e *adj.* bold, intrepid
ʻhardiesse *f.* boldness, fearlessness
ʻhardiment *adv.* boldly, impudently

harmonium *m.* cabinet organ
'harnachement *m.* harness, harnessing
'harnais *m.* harness
'hasard *m.* chance; **au ∾** at random; **par ∾** by chance
'hasarder *reg.* risk
'hâte *f.* haste
'hâter *reg.* hurry
'haut -e *adj.* high, tall
'haut *m.* height, top
'hauteur *f.* height; **à ∾ d'appui** breast-high
hectare *m.* hectare (about 2½ acres)
herbage *m.* grass, pasture
herboriste *m.* herbalist
hérétique *m.f.* heretic
héritage *m.* inheritance
héritier -ère *m.f.* heir, heiress
héroïque *adj.* heroic
heure *f.* hour, time of day; **tout à l'∾** by and by, presently, not long ago, just now; **de bonne ∾** early; **à la bonne ∾!** good!
heureux -se *adj.* happy, fortunate
'heurter (se) *reg.* run against
hier *adv.* yesterday
histoire *f.* history, story
hiver (*pronounced* ivèr) *m.* winter
homme *m.* man; **∾ d'affaires** agent, steward
'hongrois -e *adj.* Hungarian
honnête *adj.* honest, upright, modest, well-bred
honnêtement *adv.* honestly, honorably
honneur *m.* honor
horloge *f.* clock
horreur *f.* horror, dread
horriblement *adv.* horribly
'hors *prep.* out (of)
hôtel *m.* house, mansion, hotel
huissier *m.* doorkeeper, sheriff's officer, auctioneer
'huit *num. adj.* eight
'huitaine *f.* about eight, week
humblement *adv.* humbly, meekly
humeur *f.* humor, disposition
humilier *reg.* humble, humiliate

ici *adv.* here
idéal -e *adj.* ideal
idée *f.* idea, notion
illustrer *reg.* illustrate
image *f.* picture; **sage comme une ∾** good as gold (of a child)
immédiatement *adv.* immediately
immobile *adj.* immovable, motionless
impassible *adj.* unmoved, calm
importer *reg.* import, be important, concern, matter, signify
imposant -e *adj.* imposing
imprévu -e *adj.* unexpected
improviser *reg.* improvise
inattendu -e *adj.* unexpected
inavouable *adj.* disgraceful
incertain -e *adj.* uncertain, unsteady
incliner *reg.* bow, bend
indécis -e *adj.* undecided, doubtful, vague
indicateur *m.* time-table, railway guide
indiquer *reg.* indicate, direct, command
indiscret -ète *adj.* indiscreet, inconsiderate
inépuisable *adj.* inexhaustible
infini -e *adj.* infinite

ingrat -e *adj.* ungrateful, thankless, unprofitable
inonder *reg.* flood
inquiet -ète *adj.* anxious, uneasy, restless
inquiéter *reg.* disturb, worry
inquiétude *f.* anxiety, care, fear, uneasiness
insensible *adj.* heartless, unfeeling
insister *reg.* insist, urge
installation *f.* establishing, arrangement
installer *reg.* settle, fix, install
instance *f.* entreaty
instruit -e *adj.* trained, educated
intéresser *reg.* interest
intérêt *m.* interest
interrogatoire *m.* examination, investigation
interroger *reg.* question, consult
interrompre *reg.* interrupt, break off
intervalle *m.* interval
intervenir *irreg.* (**intervenant, intervenu, interviens, intervins**) intervene, interfere
intimité *f.* intimacy
intrépidement *adv.* boldly
intriguer *reg.* puzzle, perplex
introduire *irreg.* (**introduisant, introduit, introduis, introduisis**) introduce, show in
inusité -e *adj.* unusual
inutile *adj.* useless
inventer *reg.* invent
invité *m.* guest
inviter *reg.* invite
irai *1st sing. fut. of* **aller**
ironique *adj.* ironical
irriter (s') *reg.* be irritated
italien -ne *adj.* Italian

jamais *adv.* never, ever
jambe *f.* leg
janvier *m.* January
japonais -e *adj.* Japanese
jardin *m.* garden
jardinet *m.* small garden
jardinier *m.* gardener
jeter *reg.* throw
jeu *m.* sport, fun, game
jeudi *m.* Thursday
jeune *adj.* young
jeunesse *f.* youth
joie *f.* joy
joli -e *adj.* pretty
joue *f.* cheek
jouer *reg.* play
jouir *reg.* enjoy
joujou *m.* toy
jour *m.* day
journal *m.* newspaper
journée *f.* day, day's work
joyeusement *adv.* joyfully, gladly
joyeux -se *adj.* joyful, merry
juge *m.* judge
juger *reg.* judge
juin *m.* June
jument *f.* mare
jupon *m.* petticoat
jurer *reg.* swear
jusque *prep.* to, even, till; **∾-là** up to that time
juste *adj.* correct, proper; **au ∾** exactly

képi *m.* kepi, (military) cap
kilomètre *m.* kilometer (about five eighths of a mile)

là *adv.* there; **∾-bas** yonder; **∾-haut** up there; **∾-dessus** on that, thereupon
laborieusement *adv.* laboriously
laborieux -se *adj.* industrious
lâcher *reg.* loose, let go
laid -e *adj.* ugly
laine *f.* wool
laisser *reg.* leave, let, allow; **∾ faire** let alone; **se ∾ faire** submit; **laissez donc!** nonsense!
lait *m.* milk
lancer (se) *reg.* hurl, start, rush
landau *m.* landau
langage *m.* language
langue *f.* tongue, language
lard *m.* bacon
largement *adv.* largely, fully
larme *f.* tear
las -se *adj.* tired
lasser (se) *reg.* get tired
leçon *f.* lesson
lecteur -trice *m. f.* reader
léger -ère *adj.* light, frivolous, slight
légèrement *adv.* lightly, slightly
légitime *adj.* just, lawful, rightful
lendemain *m.* next day
lent -e *adj.* slow
lentement *adv.* slowly
lequel *m.*, **laquelle** *f.* (*pl.* **lesquels** *m.*, **lesquelles** *f.*), *rel. pron.* who, which
lestement *adv.* briskly, quickly
lettre *f.* letter
levantin -e *adj.* from the Levant
lever *reg.* lift; **se ∾** rise
lèvre *f.* lip
libre *adj.* free
librement *adv.* freely, boldly
lieu *m.* place; **avoir ∾** take place; **au ∾ de** instead of
lieue *f.* league (about 2½ miles)
ligne *f.* line
lilas *m.* lilac
lingot *m.* ingot, lump
lire *irreg.* (**lisant, lu, lis, lus**) read
liste *f.* list
lit *m.* bed
livre *m.* book
livrée *f.* livery
livrer *reg.* give up, yield
location *f.* letting, leasing
loge *f.* box (in a theater)
loger *reg.* lodge, harbor
logis *m.* house
loin *adv.* far, far off; **au ∾** in the distance; **de ∾** from afar
lointain -e *adj.* distant
loisir *m.* leisure
Londres *m.* London
long -ue *adj.* long
long *m.* length; **tout le ∾** all along
longer *reg.* walk alongside, skirt
longtemps *adv.* long, a long time
longuement *adv.* a long time, at length
lorgner *reg.* look at (through a glass), ogle
lorgnette *f.* glass
lors *adv.* then
lorsque *subord. conj.* when
louage *m.* hire; **de ∾** hired, hackney
louer *reg.* rent, hire
louis (*or* **∾ d'or**) *m.* louis (an old French coin, worth about $4.50)
lourd -e *adj.* heavy, dull
loyalement *adv.* fairly, honestly
lumière *f.* light

lumineux -se *adj.* luminous, bright
lune *f.* moon
luthérien -ne *adj.* Lutheran
lutte *f.* struggle
lutter *reg.* struggle
luxe *m.* luxury, splendor

machinalement *adv.* mechanically
machine *f.* locomotive
madame *f.* lady, madam, Mrs.
mademoiselle *f.* miss
magistralement *adv.* grandly, in masterly style
magnifique *adj.* magnificent
mai *m.* May
main *f.* hand; **à pleines ~s** by handfuls, plentifully, liberally; **sous la ~** at hand; **avoir la ~ heureuse** be clever *or* lucky
maintenant *adv.* now
maintenir *irreg.* (**maintenant, maintenu, maintiens, maintins**) maintain, insist
maintien *m.* keeping, maintenance
maire *m.* mayor
mairesse *f.* mayor's wife
mais *coörd. conj.* but, why, and besides
maison *f.* house
maisonnette *f.* cottage
maître *m.* master, owner, teacher
majeur -e *adj.* of age
majorité *f.* majority, coming of age
mal *adv.* ill, wrong, badly
malade *adj.* sick
maladroit -e *adj.* awkward, unskillful
malaise *m.* discomfort, uneasiness
malgré *prep.* in spite of, notwithstanding
malheur *m.* misfortune, unhappiness
malheureux -se *adj.* unfortunate, unlucky, unhappy
malicieusement *adv.* roguishly, slyly
maman *f.* mamma; **bonne ~** granny
manger *reg.* eat, squander
manier *reg.* handle
manière *f.* manner, way; **de ~ à** so as to
manifestement *adv.* manifestly
manne *f.* basket
manœuvre *f.* drill, parade, practice
manquer *reg.* be wanting, lack
manteau *m.* cloak, mantle; **~ écossais** plaid
maraîcher *m.* market gardener
marchand *m.* merchant, dealer
marche *f.* walk, gait, march, step, stair
marché *m.* bargain, deal, market; **par-dessus le ~** into the bargain
marcher *reg.* walk, go, work, operate
maréchal *m.* marshal; **~ des logis** quartermaster (of cavalry)
mari *m.* husband
mariage *m.* marriage
mariée *f.* bride, married woman
marier (se) *reg.* marry, be married
marmiton *m.* kitchen boy
marqué -e *adj.* marked, evident
marquise *f.* marchioness
marron *indecl. adj.* maroon, chestnut-colored
mars (*sound the* **s**) *m.* March
martyre *m.* martyrdom
masse *f.* mass
maternel -le *adj.* maternal; **langue maternelle** mother tongue

matin *m.* morning; **de grand** ∼ *or* **de bon** ∼ early
matinée *f.* morning
mauvais -e *adj.* bad, wicked
mécanique *f.* machine
méchant -e *adj.* bad, wicked, naughty
mécontent -e *adj.* dissatisfied
médecin *m.* physician
médiocre *adj.* slight, moderate
meilleur -e *adj.* better
mélancolie *f.* melancholy, sadness
mêler *reg.* mingle, mix
membre *m.* member
même *adj. or adv.* same, self, even, also; **tout de** ∼ all the same; **de** ∼ **que** as, just as
menacer *reg.* threaten
ménage *m.* housekeeping; **faire bon** ∼ live happily together
ménager *reg.* spare, save
mendiant -e *adj. or m. f.* beggar
mendier *reg.* beg
mener *reg.* lead, introduce, take, drive; ∼ **à quatre** drive four-in-hand
mensonge *m.* lie; ∼ **pieux** white lie
mentalement *adv.* mentally, silently
mentir *irreg.* (**mentant, menti, mens, mentis**) tell a falsehood
menu *m.* bill of fare
méprendre (se) *irreg.* (**se méprenant, mépris, me méprends, me mépris**) be mistaken, misunderstand
mépris *m.* scorn
mer *f.* sea
merci *m.* thanks
mercredi *m.* Wednesday
mère *f.* mother
mérite *m.* merit
mériter *reg.* deserve
merveille *f.* marvel; **à** ∼ admirably, capitally
merveilleux -se *adj.* wonderful
mesdames *pl. of* **madame**
messe *f.* mass; **grand'**∼ high mass
mesure *f.* measure; **à** ∼ **que** in proportion as
métier *m.* trade, profession
mètre *m.* meter (about 39 inches)
mettre *irreg.* (**mettant, mis, mets, mis**) put, put on, wear; **se** ∼ **à** begin; ∼ **pied à terre** dismount; ∼ **le couvert** set the table; ∼ **en doute** doubt, question
meuble *m.* furniture
midi *m.* noon
mieux *adv.* better, rather, more; **aimer** ∼ prefer
mignon -ne *adj.* delicate, tiny
migraine *f.* headache
milieu *m.* middle, midst, sphere
militaire *adj. or m.* military, soldier
militairement *adv.* by storm
mille (*pronounce* **ll** *like* **l**) *num. adj.* thousand
mince *adj.* thin, slender, shallow
mineur -e *adj.* minor, under age
ministère *m.* department
ministre *m.* minister
minuit *m.* midnight
miraculeux -se *adj.* wonderful
mis -e *past part. of* **mettre**
mise *f.* putting; ∼ **à prix** put up at the price of; the lowest price fixed
misère *f.* misery, distress, want
mobilier *m.* furniture

mobiliser *reg.* mobilize, prepare (troops) for active service
modérer *reg.* moderate, restrain
moindre *adj.* less, least
moins *adv.* less; **au ∾** *or* **du ∾** at least
mois *m.* month
moitié *f.* half; **à ∾** half
moment *m.* moment; **du ∾ que** since
momentanément *adv.* for the present
mondain -e *adj.* worldly, worldly-minded
monde *m.* world, company, society; **tout le ∾** everybody
monnaie *f.* coin; **∾ blanche** small change
monotone *adj.* monotonous
monseigneur *m.* my lord
monsieur *m.* gentleman, Mr.
monstrueux -se *adj.* monstrous
montagne *f.* mountain
montée *f.* ascent
monter *reg.* go up, rise, irritate; **∾ à cheval** ride; **se ∾ la tête** get excited
montrer *reg.* show, point out, point to; **se ∾** appear
moquer (se) *reg.* ridicule, laugh at
morale *f.* morals, rebuke; **faire de la ∾** lecture, rebuke
morceau *m.* piece
morceler *reg.* divide, cut up
morcellement *m.* division
mort -e *past part. of* **mourir** dead
mort *f.* death
mot *m.* word
mouchoir *m.* handkerchief
moue *f.* wry face
mouillé -e *adj.* wet
mourant -e *m.f.* dying person
mourir *irreg.* (**mourant, mort, meurs, mourus**) die; **∾ de faim** starve
mousseline *f.* muslin
mouvement *m.* movement, motion, feeling
moyen *m.* means, way
muet -te *adj.* mute, silent, dumb
muguet *m.* lily of the valley
mule *f.* slipper
mur *m.* wall
murmurer *reg.* murmur, grumble
musicien -ne *m.f.* musician
mystère *m.* mystery
mystérieux -se *adj.* mysterious
mythologique *adj.* mythological

naïf -ve *adj.* simple, artless
naissance *f.* birth
naissant -e *adj.* budding, dawning
naître *irreg.* (**naissant, né, nais, naquis**) be born
naïvement *adv.* simply, artlessly
naïveté *f.* simplicity, artlessness
naturel -le *adj.* natural
né -e *past part. of* **naître** born
nécessaire *adj.* necessary
neige *f.* snow
nerf *m.* nerve
net -te *adj.* clear, plain, short
neuf *num. adj.* nine
neuf -ve *adj.* new
nez *m.* nose
ni *coörd. conj.* neither, nor, either, or; **∾ moi non plus** nor I either
noces *f. pl.* wedding
noir -e *adj.* black
nom *m.* name; **petit ∾** first name

nombre *m.* number
nombreux -se *adj.* numerous
nommer *reg.* name, appoint
non *adv.* no, not
notaire *m.* notary
noter *reg.* note, mark
nourrir *reg.* feed, fill; **se ∾** eat, live, support
nouveau, nouvel, nouvelle *adj.* new, novel
nouvelle *f.* news; **prendre des ∾s de** inquire after
novembre *m.* November
noyer *m.* walnut wood
nu -e *adj.* bare
nuage *m.* cloud, mist
nuire (à) *irreg.* (**nuisant, nui, nuis, nuisis**) hurt, prejudice, injure
nuit *f.* darkness, night; **à la ∾ tombante** at nightfall; **cette ∾** last night, to-night; **faire ∾** be dark
nul -le *adj.* no one, nobody, any
nullement *adv.* not at all
numéro *m.* number

obéir (à) *reg.* obey
objet *m.* object
obliger *reg.* oblige, compel
observer *reg.* observe
obsession *f.* attention, devotion
obstinément *adv.* persistently
obstiner (s') *reg.* persist
obtenir *irreg.* (**obtenant, obtenu, obtiens, obtins**) obtain
occasion *f.* opportunity
occuper *reg.* occupy; **s'∾ de** attend to, look after
œil *m.* (*pl.* **yeux**) eye
œuf *m.* egg; **∾s au lait** floating island
office *m.* service, worship
officier *m.* officer
offrande *f.* offering
offrir *irreg.* (**offrant, offert, offre, offris**) offer
ombre *f.* shade, shadow
on *indef. pron.* we, you, they, people, somebody
ondulant -e *adj.* undulating
ondulation *f.* wave, swing, flourish
onduler *reg.* undulate, wave, sway
onze *num. adj.* eleven
onzième *num. adj.* eleventh
opposer *reg.* oppose
or *m.* gold
oraison *f.* prayer
oratoire *m.* oratory, chapel
ordinaire *adj.* ordinary; **à l'∾** as usual; **d'∾** ordinarily
ordinairement *adv.* ordinarily
ordre *m.* order
oreille *f.* ear
organisateur -trice *m. f.* organizer
organiser *reg.* organize
orgue *m.* organ
orgueil *m.* pride
original -e *adj.* original, queer, quaint
originalité *f.* singularity
orphelin -e *m. f. or adj.* orphan
orthographe *f.* spelling
oser *reg.* dare
osier *m.* osier, willow
ôter *reg.* remove, take off
ou *coörd. conj.* or
où *interr. or rel. adv.* where, when
oublier *reg.* forget
oui *adv.* yes
ouragan *m.* hurricane, storm

outre *adv. or prep.* beyond, besides; **en ∾** in addition
outré -e *adj.* exaggerated
ouvert -e *adj.* open
ouvertement *adv.* openly
ouverture *f.* opening, frankness
ouvrier *m.* workman
ouvrir *irreg.* (**ouvrant, ouvert, ouvre, ouvris**) open; **∾ de grands yeux** stand staring, stare

paille *f.* straw
pair *m.* peer
paisiblement *adv.* peacefully
paix *f.* peace
palais *m.* palace
palefrenier *m.* groom
palisser *reg.* tie up, train (fruit trees to a wall)
palmier *m.* palm tree
panégyrique *m.* panegyric, praise
papetier *m.* stationer
papier *m.* paper
paquebot *m.* steamer
paquet *m.* bundle, bunch
par *prep.* by, through, out of, a; **∾-dessus** on, over, above
paradis *m.* paradise
paraître *irreg.* (**paraissant, paru, parais, parus**) appear
parallèle *m.* parallel, comparison
parapluie *m.* umbrella
parc *m.* park
parce que *subord. conj.* because
parcheminé -e *adj.* parchment-like
parcourir *irreg.* (**parcourant, parcouru, parcours, parcourus**) travel over, glance through
par-dessus *prep.* on, over, above
pardonner *reg.* pardon, forgive
pareil -le *adj.* like, such
paresseusement *adv.* lazily
paresseux -se *adj.* idle, lazy
parfait -e *adj.* perfect
parfaitement *adv.* perfectly
parfum *m.* perfume
parier *reg.* wager
parler *reg.* speak, talk
parmi *prep.* among
paroissien -ne *m. f.* parishioner
parole *f.* word, speech; **porter la ∾** be spokesman
parrain *m.* godfather, sponsor
part *f.* share, part, portion, side, hand; **quelque ∾** somewhere, anywhere; **de toutes ∾s** on all sides; **de la ∾ de** from
partager *reg.* share, divide
parti *m.* part, course, match, catch; **prendre son ∾** make up one's mind, resign one's self
participer *reg.* participate
particulier -ère *adj.* peculiar, special, singular
particulièrement *adv.* particularly, especially
partie *f.* part, game
partir *irreg.* (**partant, parti, pars, partis**) set out, go away; **à ∾ de** from, after
partout *adv.* everywhere; **∾ où** wherever
parvenu *m.* upstart
pas *adv.* not, never, not any
pas *m.* step, pace; **au ∾** on a walk; **retourner sur ses ∾** go back, retrace one's steps
passé *m.* past, history
passer *reg.* pass; **se ∾** happen, elapse, do without

pasteur *m.* pastor, protestant clergyman
paternellement *adv.* paternally
patienter *reg.* be patient
pâtisserie *f.* pastry
patrie *f.* native land, country
patrimonial -e *adj.* patrimonial
patte *f.* paw, foot
pauvre *adj.* poor
pauvreté *f.* poverty
pavé *m.* paving stone, pavement
payement *m.* payment
payer *reg.* pay
pays *m.* country
paysan *m.* countryman, peasant
peau *f.* skin, hide
péché *m.* sin
pêcher *reg.* fish
pêcher *m.* peach tree
peignoir *m.* dressing gown
peine *f.* pain, trouble; **à ∾** hardly, scarcely; **faire de la ∾ à** grieve; **valoir la ∾** be worth while
peinture *f.* picture
pelletée *f.* shovelful
pencher *reg.* lean, bend
pendant *prep.* during; **∾ que** while
pendre *reg.* hang
pénétrer *reg.* penetrate, enter
péniblement *adv.* painfully, laboriously
pensée *f.* thought, idea
penser *reg.* think, reflect; **∾ à** think of
penseur *m.* thinker
pension *f.* annuity, allowance
percer *reg.* pierce, penetrate
perdre *reg.* lose
père *m.* father
permettre *irreg.* (**permettant, permis, permets, permis**) permit
perpétuel -le *adj.* perpetual, endless
perpétuellement *adv.* everlastingly, continually
perplexe *adj.* perplexed, embarrassed
perron *m.* steps, porch
persister *reg.* persist, last
personne *f.* person; *pron. m.* anybody, nobody
personnel -le *adj.* personal
persuader *reg.* persuade, convince
petit -e *adj.* little, small; **∾-fils** grandson; **∾s-enfants** grandchildren
peu *adv.* little, few, somewhat; **∾ à ∾** little by little
peur *f.* fear; **faire ∾ à** frighten; **à faire ∾** frightful
peut-être *adv.* perhaps
pharmacie *f.* pharmacy
pharmacien -ne *m. f.* apothecary
photographie *f.* photograph
phrase *f.* phrase, sentence
pichet *m.* jug, pot
pie *f.* magpie
pièce *f.* piece, room
pied *m.* foot, footing, scale; **à ∾** on foot
piège *m.* snare, trap
pierre *f.* stone
Pierre *m.* Peter
piétiner *reg.* stamp
pieux -se *adj.* pious
pilier *m.*, pillar, column
pincer *reg.* pinch
piqueur *m.* head groom

pis *adv.* worse; **tant ~** so much the worse
pitié *f.* pity, compassion
placarder *reg.* post up
place *f.* square
placement *m.* investment
placer *reg.* place, put
plaindre *irreg.* (**plaignant, plaint, plains, plaignis**) pity; **se ~** complain
plaine *f.* plain
plaire *irreg.* (**plaisant, plu, plais, plus**) please
plaisanter *reg.* jest, joke
plaisir *m.* pleasure; **faire ~ à** please
planter *reg.* fix, place
plein -e *adj.* full, broad, bright, complete; **en ~** directly, fully, squarely
pleinement *adv.* fully
pleurer *reg.* weep
pleuvoir *irreg.* (**pleuvant, plu, pleut, plut**) rain, pour in
plier *reg.* bend, yield, conform
plonger *reg.* plunge, sink
pluie *f.* rain
plume *f.* pen
plus *adv.* more, most, no more; **ne . . . ~** no more, no longer; **de ~** moreover, more; **moi non ~** nor I either
plusieurs *indef. adj.* several, many
plutôt *adv.* rather
pluvieux -se *adj.* rainy
poche *f.* pocket
pochette *f.* pocket
poignée *f.* handful, grasp
poing *m.* fist, hand
point *m.* point, degree, extent
pointe *f.* point, tip
pointer *reg.* rear
pointu -e *adj.* pointed, sharp
poirier *m.* pear tree
poitrine *f.* chest, breast
polichinelle *m.* Punch
polygone *m.* artillery ground
pomme *f.* apple; **~ de terre** potato
pomponner *reg.* ornament, deck out, dress
pont *m.* bridge
pope *m.* priest (of the Greek Church in Russia)
porte *f.* gate, door
porter *reg.* carry, bear, wear, declare; **se ~** be
porteur *m.* bearer
portière *f.* door (of a coach)
poser *reg.* place, put
positivement *adv.* positively
posséder *reg.* possess
poste *f.* post office, post
postillon *m.* postilion, coachman
poudrer *reg.* powder
poudreux -se *adj.* dusty
pouf *m.* ottoman, stool
poupée *f.* doll, puppet
pour *prep.* for, in order
pourquoi *interr. adv.* why
pourtant *adv.* yet, nevertheless
pourvu que *subord. conj.* provided that, let us hope that, if only
poussière *f.* dust
pouvoir *irreg.* (**pouvant, pu, peux** [**puis**], **pus**) be able, can; **se ~** be possible; **il se peut** that may be
pouvoir *m.* power, authority
prairie *f.* meadow

praticien *m.* practitioner
pré *m.* meadow
précédent -e *adj.* preceding
précéder *reg.* precede
précepteur *m.* tutor
précipiter (se) *reg.* rush, dash
précis -e *adj.* exact, neat
précisément *adv.* precisely, exactly
préférer *reg.* prefer
prélat *m.* prelate
prélever *reg.* deduct, take
premier -ère *adj.* first
prendre *irreg.* (**prenant, pris, prends, pris**) take, get, seize; **se ∾ à** begin, set about; **s'en ∾ à** blame
préoccupation *f.* thought, anxiety
préparatif *m.* preparation
préparer *reg.* prepare, fit
près *adv. or prep.* near, close; **à peu ∾** nearly, about
presbytère *m.* parsonage
présenter *reg.* present, offer, introduce
presque *adv.* almost, nearly
presser *reg.* press, hurry
prêt -e *adj.* ready
prétendant *m.* suitor
prétendre *reg.* claim, intend
prétention *f.* pretension, claim
prêter *reg.* lend, give
prêtre *m.* priest
preuve *f.* proof, trial, test; **faire ses ∾s** show what one can do
prévenir *irreg.* (**prévenant, prévenu, préviens, prévins**) notify, inform
prévoir *irreg.* (**prévoyant, prévu, prévois, prévis**) foresee
prie-dieu *m.* prayer desk
prier *reg.* pray, beg
prière *f.* prayer, request, invitation
pris -e *past part. of* **prendre**
prix *m.* price, cost; **à tout ∾** anyhow, come what may
procès *m.* lawsuit
prodige *m.* wonder, marvel
prodigue *adj.* lavish
professeur *m.* teacher
profiter *reg.* profit
profond -e *adj.* deep
profondément *adv.* deeply
profondeur *f.* depth
progrès *m.* progress
progressivement *adv.* gradually
projet *m.* project, scheme, plan
promenade *f.* walk, ride
promener *reg.* take, lead; **se ∾** walk, wander, go, wind
promesse *f.* promise
promettre *irreg.* (**promettant, promis, promets, promis**) promise
prononcer *reg.* pronounce
propos *m.* talk, purpose; **à ∾ de** speaking of, concerning
proposer *reg.* propose, offer
propre *adj.* own, clean
propriétaire *m.f.* owner, proprietor
propriété *f.* property, estate
protéger *reg.* protect
provisoire *adj.* provisional
provoquer *reg.* provoke, call forth
prudemment *adv.* prudently
pu -e *past part. of* **pouvoir**
publier *reg.* publish
publiquement *adv.* publicly
puis *adv.* then, afterwards
puisque *subord. conj.* since, inasmuch as, seeing that
puissant -e *adj.* powerful
purgatoire *m.* purgatory

quai *m.* platform, wharf
qualité *f.* quality, virtue; **en ∾ de** in the capacity of
quand *interr. or rel. adv.* when
quant *adv. in the phrase* **quant à** as for
quarante *num. adj.* forty
quart *m.* quarter
quartier *m.* quarter, quarters
quatorze *num. adj.* fourteen
quatre *num. adj.* four
que *interr. or rel. pron.* whom, that, which, what; *adv. or subord. conj.* how, than, since, how many, when; **ne . . . ∾** only
quel -le *interr. or rel. adj.* what, who
quelconque *indef. adj.* whatever, whatsoever
quelque *indef. adj.* some, any, a few
quelquefois *adv.* sometimes
quereller (se) *reg.* quarrel
qui *interr. or rel. pron.* who, whom, which, that
quinzaine *f.* fifteen or so, fortnight
quinze *num. adj.* fifteen; **∾ jours** fortnight
quitte *adj.* clear, free; **en être ∾ à** (*or* **pour**) be let off with
quitter *reg.* leave, lay aside
quoi *interr. or rel. pron.* which, what

rabattre (se) *irreg.* (**se rabattant, rabattu, me rabats, me rabattis**) fall back (on), come down
raccrocher *reg.* hook up, attach
racheter *reg.* buy back
raconter *reg.* relate
radieux -se *adj.* radiant
rafale *f.* squall, gust
rage *f.* rage; **faire ∾** rage, do one's utmost
raide *adj.* steep
rainure *f.* groove
raisin *m.* grapes
raison *f.* reason; **avoir ∾** be right
ralentir *reg.* slacken, slow down
ramasser *reg.* pick up, take up
ramener *reg.* bring back
ramoneur *m.* chimney sweep
rang *m.* row, rank, line
ranger *reg.* arrange, set in order
rapidement *adv.* rapidly, quickly
rapiécer *reg.* patch
rappeler *reg.* recall, remember; **rappelez-moi au (bon) souvenir de** remember me kindly to
rapport *m.* revenue, income
rapporter *reg.* bring back, bring away; **se ∾ à** trust, rely on
rapproché -e *adj.* close, near
rapprocher (se) *reg.* approach, come together
rarement *adv.* rarely, seldom
rassembler *reg.* collect
rassurer *reg.* calm, reassure
ratisser *reg.* rake
rattacher *reg.* tie, fasten again
rattraper *reg.* catch, overtake, recover
ravir *reg.* charm, delight
ravissant -e *adj.* delightful, enchanting
rayon *m.* ray
réaliser *reg.* realize
rebelle *adj.* rebellious, disobedient, obstinate
rebuter *reg.* disgust, shock

récent -e *adj.* recent
recevoir *irreg.* **(recevant, reçu, reçois, reçus)** receive
rechercher *reg.* seek for
récit *m.* account, story
réciter *reg.* recite
réclamer *reg.* demand, call for
récolte *f.* harvest, crop
recommander *reg.* charge, request
recommencer *reg.* recommence
recompter (p *silent*) *reg.* count again
reconduire *irreg.* **(reconduisant, reconduit, reconduis, reconduisis)** show out, accompany to the door, escort, take home
reconnaissance *f.* gratitude
reconnaissant -e *adj.* grateful
reconnaître *irreg.* **(reconnaissant, reconnu, reconnais, reconnus)** recognize
recoucher (se) *reg.* lie down again
recouvrir *irreg.* **(recouvrant, recouvert, recouvre, recouvris)** cover (again)
récrier (se) *reg.* exclaim, cry out
recrue *f.* recruit
rectifier *reg.* rectify
recueilli -e *adj.* pensive
recueillir *irreg.* **(recueillant, recueilli, recueille, recueillis)** gather, pick up, receive, hear; **se ∾** meditate
reculer *reg.* draw back, retreat
redemander *reg.* ask again for
redevenir *irreg.* **(redevenant, redevenu, redeviens, redevins)** become again
redire *irreg.* **(redisant, redit, redis, redis)** repeat
redoubler *reg.* redouble
redoutable *adj.* formidable
redouter *reg.* dread, fear
redresser (se) *reg.* straighten up
réduire *irreg.* **(réduisant, réduit, réduis, réduisis)** reduce
réel -le *adj.* real
réellement *adv.* really
refermer (se) *reg.* close again
réfléchi -e *adj.* deliberate, thoughtful
réfléchir *reg.* reflect
reflet *m.* reflection
refouler *reg.* drive back
réfugier (se) *reg.* take refuge
refus *m.* refusal, denial
refuser *reg.* refuse, decline
régal *m.* feast, treat
régaler *reg.* regale, feast
regard *m.* look, gaze, glance
regarder *reg.* look at, concern
régisseur *m.* manager, steward
règle *f.* rule; **dans les ∾s** according to rule
régler *reg.* settle, decide
regretter *reg.* regret
régulier -ère *adj.* regular
régulièrement *adv.* regularly
reine *f.* queen
rejeter *reg.* throw back
reléguer *reg.* banish
relevée *f.* (*a law term*) afternoon; **de ∾** in the afternoon
relever *reg.* lift up, restore; **se ∾** rise (again)
religieusement *adv.* religiously
relire *irreg.* **(relisant, relu, relis, relus)** read again
remarquer *reg.* observe, notice
rembourrer *reg.* stuff

remercier *reg.* thank
remercîment *or* **remerciement** *m.* thanks
remettre *irreg.* (**remettant, remis, remets, remis**) put again, put back, give, return; **se ∾** compose one's self, recover
remise *f.* carriage house
remonter *reg.* go up, cheer up
remplacer *reg.* replace
remplir *reg.* fill, fulfill, discharge
rencontre *f.* meeting; **aller à la ∾ de** go to meet
rencontrer *reg.* meet
rendormir (se) *irreg.* (**se rendormant, rendormi, me rendors, me rendormis**) go to sleep again
rendre *reg.* render, make, give back
rêne *f.* rein
renouer *reg.* tie again
renseignement *m.* information; **prendre des ∾s** make inquiries
rente *f.* income
rentrer *reg.* return, go home, go in again, get again, recover
renverser *reg.* upset, throw back; **se ∾** lean back
renvoyer *irreg.* (**renvoyant, renvoyé, renvoie, renvoyai**) send back, send away, dismiss
répandre *reg.* diffuse, spread, spread abroad
reparaître *irreg.* (**reparaissant, reparu, reparais, reparus**) reappear
réparer *reg.* repair
repartir *irreg.* (**repartant, reparti, repars, repartis**) start off again
repasser *reg.* go over, review
répéter *reg.* repeat
répliquer *reg.* reply, answer
répondre *reg.* answer; **je vous en réponds** I can assure you
réponse *f.* answer, reply
repos *m.* rest, pause
reposé -e *adj.* calm, reposeful
reposer *reg.* rest, lie
reprendre *irreg.* (**reprenant, repris, reprends, repris**) take again, take up, recover, resume, begin again
représentation *f.* production, performance
représenter *reg.* represent, present again
reprises *f. pl.* times
reprocher *reg.* reproach
réserver *reg.* reserve, have in store
résigner *reg.* resign, give up
résolument *adv.* resolutely, boldly
résoudre *irreg.* (**résolvant, résolu, résous, résolus**) resolve, settle, decide on
respectueusement *adv.* respectfully
respectueux -se *adj.* respectful
respirer *reg.* breathe, rest
resplendir *reg.* shine
resplendissant -e *adj.* resplendent
ressembler *reg.* resemble, take after
resserrer (se) *reg.* contract, economize, retrench one's expenses
ressource *f.* resource
reste *m.* rest, remainder
rester *reg.* remain
résultat *m.* result
retenir *irreg.* (**retenant, retenu, retiens, retins**) retain, detain, remember

retirer *reg.* withdraw, draw out, take out; **se ∾** retire
retomber *reg.* fall again, relapse
retour *m.* return
retourner *reg.* go back, return, turn around, turn inside out
retraite *f.* retirement; **en ∾** superannuated, retired
retrouver *reg.* find again, recover
réunir *reg.* collect, assemble, combine, unite
réussir *reg.* succeed
revanche *f.* revenge, return; **en ∾** on the other hand
rêve *m.* dream
réveiller *reg.* wake, rouse
revenir *irreg.* (**revenant, revenu, reviens, revins**) come back, return, recover, get over, retract, change one's mind
revenu *m.* income
rêver *reg.* dream, desire
rêverie *f.* revery
revêtir *reg.* put on
revivre *irreg.* (**revivant, revécu, revis, revécus**) live again
revoir *irreg.* (**revoyant, revu, revois, revis**) see again
revue *f.* review, examination
rez-de-chaussée *m.* ground floor
riant -e *adj.* cheerful
riche *adj.* rich
ride *f.* wrinkle
ridé -e *adj.* wrinkled
rideau *m.* curtain
ridicule *adj.* ridiculous
rien *m.* nothing, anything
rigueur *f.* rigor; **à la ∾** at a pinch, in an extreme case; **de ∾** obligatory, indispensable
rire *irreg.* (**riant, ri, ris, ris**) laugh
rire *m.* laughter, laughing
rivière *f.* river
rocailleux -se *adj.* stony, rugged, rough
rocher *m.* rock
roi *m.* king
romaine *f.* Cos lettuce
roman *m.* novel, romance, tale
romancier *m.* novelist
rond -e *adj.* round
ronde *f.* round dance
ronger *reg.* waste, gnaw, wear away
rosier *m.* rosebush
roue *f.* wheel
rouge *adj.* red
rougir *reg.* blush
rouleau *m.* roll
roulement *m.* rolling
rouler *reg.* roll
roulette *f.* roller, wheel
route *f.* road, way; **grande ∾** highway
rubis *m.* ruby
rue *f.* street
ruiner *reg.* ruin
russe *adj.* Russian

sable *m.* sand, gravel
sabler *reg.* gravel
sabot *m.* slipper, wooden shoe
sabre *m.* sword
sac *m.* sack, bag
sachant *pres. part. of* **savoir**
sacristie *f.* sacristy, vestry room
sage *adj.* well-behaved, (of children) good
sagement *adv.* wisely, judiciously
sagesse *f.* wisdom, prudence

salade *f.* salad
saladier *m.* salad bowl
salle *f.* hall, room; ∾ **à manger** dining room
salon *m.* drawing room, parlor
saltimbanque *m.* mountebank, juggler
saluer *reg.* salute, bow to
salut *m.* safety, salvation, salute, bow
samedi *m.* Saturday
sang *m.* blood
sang-froid *m.* coolness, composure
sanglot *m.* sob
sans *prep.* without
saumoné -e *adj.* salmon; **truite** ∾**e** salmon trout
sauter *reg.* leap, jump
sauvage *adj.* shy, untamed, uncivilized
sauver (se) *reg.* escape, run away, set out
savant -e *adj.* skillful, learned
savoir *irreg.* (**sachant, su, sais, sus**) know, know how, be able; **faire** ∾ inform, let know
scène *f.* scene, stage; **en** ∾ on the stage
sec, sèche *adj.* dry, cold, unfeeling
secourable *adj.* helpful, kind
secours *m.* help, relief
secrètement *adv.* secretly
séduisant -e *adj.* seductive, bewitching
seigneur *m.* lord
selle *f.* saddle
sellier *m.* saddler
selon *prep.* according to
semaine *f.* week; **être de** ∾ be on duty for the week
semblable *adj.* such
sembler *reg.* seem, appear
semonce *f.* rebuke
sens *m.* direction
sentiment *m.* feeling, sensation
sentir *irreg.* (**sentant, senti, sens, sentis**) feel, perceive
séparer *reg.* separate
sept *num. adj.* seven
sergent *m.* sergeant
sérieusement *adv.* earnestly, seriously
sérieux -se *adj.* serious, earnest, solid, real; **au** ∾ seriously
serre *f.* greenhouse, conservatory
serré -e *adj.* close
serrer *reg.* press, grasp, lock up, put away
serrure *f.* lock
servant *m.* gunner
servante *f.* maidservant
servir *irreg.* (**servant, servi, sers, servis**) serve; **se** ∾ **de** use
seuil *m.* threshold
seul -e *adj.* one, alone, single, only, sole; ∾ **à** ∾ all alone
seulement *adv.* only, but, merely
si *subord. conj.* if, whether; *adv.* so, so much; (*after a negation*) yes; ∾ **fait** yes indeed, on the contrary
siècle *m.* century
siège *m.* seat, coach box
siffler *reg.* whistle
signe *m.* sign
signer *reg.* sign
silencieusement *adv.* silently
silencieux -se *adj.* silent, still
silhouette *f.* silhouette, profile
sillon *m.* furrow, track, trail

simplement *adv.* simply
singulier -ère *adj.* singular, peculiar
singulièrement *adv.* singularly, peculiarly
sœur *f.* sister
soie *f.* silk
soif *f.* thirst
soigner *reg.* take care of, attend
soin *m.* care
soir *m.* evening
soirée *f.* evening, evening party
soit *interj. or coörd. conj.* granted, so be it, may be; ∾ . . . ∾ either . . . or; ∾ **que** whether, or
soixante *num. adj.* sixty; **∾-dix** seventy
soldat *m.* soldier
soleil *m.* sun, sunshine
solennel -le (*pronounce* en *like* a) *adj.* solemn
solliciter *reg.* solicit, ask for
sombre *adj.* dark, melancholy, sad
sommaire *adj.* summary, slight, scanty
somme *f.* sum; **en** ∾ finally, in short
sommeil *m.* sleep
sommeiller *reg.* doze
somnolence *f.* sleepiness
somptueux -se *adj.* sumptuous, elegant
son *m.* sound
songer *reg.* think
songeur, songeuse *adj.* thoughtful
sonner *reg.* sound, strike
sonnerie *f.* sound, sounding
sonorité *f.* sonorousness, ring, sound
sort *m.* fate, lot; **tirer au** ∾ draw lots
sorte *f.* sort, kind; **de la** ∾ thus, in that manner; **de** ∾ **que** so that
sortie *f.* coming out, leaving
sortir *irreg.* (**sortant, sorti, sors, sortis**) go out, come out
sot -te *adj.* stupid, silly, foolish
sottement *adv.* foolishly, senselessly
sou *m.* cent
souci *m.* care
soucieux -se *adj.* anxious, full of care
soudain -e *adj.* sudden
soudainement *adv.* suddenly
soudaineté *f.* suddenness
souffler *reg.* blow
souffrance *f.* suffering, misery
souffrant -e *adj.* suffering, ill
souffrir *irreg.* (**souffrant, souffert, souffre, souffris**) suffer, be ill
souhaiter *reg.* wish
soulever *reg.* raise, lift up, stir up
soulier *m.* shoe
soupçon *m.* suspicion
soupe *f.* soup
souper *reg.* take supper
souper *m.* supper
souple *adj.* supple, pliant, yielding
souplesse *f.* suppleness
souriant -e *adj.* smiling
sourire *irreg.* (**souriant, souri, souris, souris**) smile
sourire *m.* smile
sous *prep.* under, beneath, in
sous-lieutenant *m.* second lieutenant, sublieutenant
sous-officier *m.* noncommissioned officer

soutane *f.* cassock
soutenir *irreg.* (**soutenant, soutenu, soutiens, soutins**) support, keep up
souvenir (se) *irreg.* (**se souvenant, souvenu, me souviens, me souvins**) (**de**) remember
souvenir *m.* recollection, memory
souvent *adv.* often, frequently
spirituel -le *adj.* witty, intelligent
stupéfait -e *adj.* astonished
stupeur *f.* stupor, astonishment
su -e *past part. of* **savoir**
subir *reg.* undergo, submit to, feel
succéder *reg.* succeed, follow
succès *m.* success
sucre *m.* sugar
suède *m.* Swedish kid (for gloves)
Suède *f.* Sweden
suffire *irreg.* (**suffisant, suffi, suffis, suffis**) suffice, be enough
suffoquer *reg.* suffocate, stifle
suite *f.* rest, sequel; **tout de ∾** immediately, at once
suivant -e *adj.* following
suivre *irreg.* (**suivant, suivi, suis, suivis**) follow
sujet *m.* subject
superficiel -le *adj.* superficial
supplier *reg.* entreat, beg
supporter *reg.* support, endure
sur *prep.* upon, on, over, from, against
sûr -e *adj.* sure, certain
surenchère *f.* higher bid
surplis *m.* surplice
surprenant -e *adj.* surprising, astonishing
surprendre *irreg.* (**surprenant, surpris, surprends, surpris**) surprise
sursaut *m.* start; **en ∾** with a start
surtout *adv.* above all, especially
surveiller *reg.* superintend, inspect, look after

table *f.* table; **se mettre à ∾** sit down to table; **sortir de ∾** *or* **se lever de ∾** rise from table
tableau *m.* picture, scene
tablier *m.* apron
tabouret *m.* stool
tâcher *reg.* try, endeavor
taille *f.* size, height, waist, figure
taire (se) *irreg.* (**se taisant, tu, me tais, me tus**) be silent
talon *m.* heel
tamponner *reg.* wrap
tandis que *subord. conj.* while, whereas
tant *adv.* so much, so many, so long, as long; **∾ bien que mal** somehow or other
tante *f.* aunt
tantôt *adv.* presently, a little while ago, sometimes
tapage *m.* noise, uproar
tapageur, tapageuse *adj.* loud, gaudy, flashy
tapisserie *f.* tapestry, hangings, upholstery
tapissier *m.* upholsterer
tard *adv.* late
tasse *f.* cup
tel -le *dem. adj.* such
télégraphier *reg.* telegraph
tellement *adv.* so, so much
témoin *m.* witness
tempe *f.* temple
tempête *f.* tempest, storm

temps *m.* time, weather; **en même** ∾ at the same time; **tout le** ∾ plenty of time
tendre *reg.* spread, set, hold out, extend
tendre *adj.* tender
tendrement *adv.* tenderly, affectionately
tendresse *f.* love, affection, caress
tenez *interj.* hold! here!
tenir *irreg.* (**tenant, tenu, tiens, tins**) hold, keep, take, belong; **se** ∾ **debout** stand; ∾ **pour** consider; ∾ **à** insist on, be fond of, be anxious to, depend on
tenter *reg.* try, tempt
terminer *reg.* finish
terrain *m.* ground, land
terrasse *f.* terrace
terre *f.* earth, land, estate
tête *f.* head; ∾ **à** ∾ alone
thé *m.* tea
thésauriser *reg.* hoard
tiens *interj.* hold! here!
tilleul *m.* linden tree
tirade *f.* speech
tiraillement *m.* twinge
tirer *reg.* draw, pull, get, fire, shoot; **s'en** ∾ manage it, do it
tiroir *m.* drawer
toiture *f.* roof
tombe *f.* tomb, grave
tomber *reg.* fall
torrentiel -le *adj.* pouring
tort *m.* wrong; **avoir** ∾ be wrong
tôt *adv.* soon, early, quick
touchant -e *adj.* touching, affecting
toucher *reg.* touch
toujours *adv.* always
tour *m.* turn, journey; ∾ **de main** trice
tour *f.* tower
tourbillon *m.* whirlwind, whirlpool
tourbillonner *reg.* eddy, whirl, turn, dance
tourment *m.* trouble, grief
tourmenter *reg.* torment, torture
tournée *f.* visit, round, journey
tourner *reg.* turn
tournoyer *reg.* turn, wheel
tournure *f.* figure, shape, direction
tout -e *adj.* all, whole, every
tout *m.* (*adj. used as noun*) all, everything, the whole; **du** ∾ *or* **pas du** ∾ not at all; **rien du** ∾ nothing at all
tout *adv.* all, quite, entirely; ∾ **à fait** wholly, entirely; ∾ **en** (*before a present participle*) while
traduire *irreg.* (**traduisant, traduit, traduis, traduisis**) translate
tragique *adj.* tragic; **au** ∾ tragically, seriously
tragiquement *adv.* tragically, seriously
train *m.* pace, speed, way, manner, style of living, train; **en** ∾ in the act
traîner *reg.* draw, drag, lie
trait *m.* feature
traiter *reg.* treat
tramer *reg.* weave, contrive
tranquille (*pronounce* **ll** *like* **l**) *adj.* quiet, calm
tranquillement (*pronounce* **ll** *like* **l**) *adv.* quietly
transformer *reg.* transform
transiger (*pronounce* **s** *like* **z**) *reg.* compromise

transmettre *irreg.* (**transmettant, transmis, transmets, transmis**) transmit, transfer
transporter (se) *reg.* go, repair
travail *m.* labor, work
travailler *reg.* labor, work, study
travailleur *m.* worker
travers *m.* breadth, twist; **à ∾** through, across; **de ∾** wrong
traverse *f.* crossbar, short cut; **à la ∾** in the way
traversée *f.* passing through, crossing
traverser *reg.* cross, go through
treille *f.* arbor
treize *num. adj.* thirteen
tremblement *m.* trembling
trembler *reg.* tremble
trente *num. adj.* thirty
très *adv.* very
trésor *m.* treasure
trésorière *f.* treasurer
tribunal *m.* court
tribune *f.* gallery
tricherie *f.* deception
triomphalement *adv.* triumphantly
triomphant -e *adj.* triumphant
triste *adj.* sad, gloomy
tristement *adv.* sadly
tristesse *f.* sadness, grief
trois *num. adj.* three
tromper *reg.* deceive; **se ∾** be mistaken
trompette *m.* trumpeter
trompette *f.* trumpet
trône *m.* throne
trop *adv.* too much, too many, too, exactly, hardly
trotter *reg.* trot
trottoir *m.* sidewalk
trou *m.* hole
trouble *adj.* dim, misty
trouble *m.* confusion, disorder
troubler *reg.* trouble, confuse, disconcert
troupe *f.* troop, soldiers
trouver *reg.* find; **se ∾** find one's self, be
truffe *f.* truffle
truite *f.* trout
tuer *reg.* kill
tuile *f.* tile
tutelle *f.* guardianship
tuteur *m.* guardian
tuyau *m.* pipe

uniquement *adv.* only, solely
universel -le *adj.* universal
usage *m.* custom, use
usé -e *adj.* worn out, threadbare
utile *adj.* useful
utilement *adv.* usefully, profitably
utiliser *reg.* use

va *3d sing. pres. ind. of* **aller**
vacance *f.* vacation
vacarme *m.* tumult, uproar
vaguement *adv.* vaguely, indistinctly
vaillant -e *adj.* brisk, brave, gallant
vaincre *irreg.* (**vainquant, vaincu, vaincs, vainquis**) conquer
vainement *adv.* in vain
vais *1st sing. pres. ind. of* **aller**
valenciennes *f.* Valenciennes lace
valet *m.* footman, valet; **∾ de pied** footman

valoir *irreg.* (**valant, valu, vaux, valus**) be worth, bring, procure; ∾ **mieux** be better
valse *f.* waltz
valser *reg.* waltz
vanter *reg.* boast, praise
vapeur *f.* mist
variante *f.* alteration, variation
vaut *3d sing. pres. ind. of* **valoir**
vécu *past part. of* **vivre**
veille *f.* eve, day before
veiller *reg.* watch, attend
velours *m.* velvet
vendre *reg.* sell
vendredi *m.* Friday
venir *irreg.* (**venant, venu, viens, vins**) come; **faire** ∾ send for; ∾ **de** (*before an infinitive*) have just: **il vient de partir** he has just gone, **il venait de partir** he had just gone
vent *m.* wind
vente *f.* sale
verdure *f.* verdure, green
véritable *adj.* genuine, real
véritablement *adv.* really
vérité *f.* truth
verre *m.* glass
vers *prep.* toward, about
vert *adj.* green; **mettre au** ∾ turn out to grass
vestibule *m.* hall, passage
vêtement *m.* garment, clothes
vêtu -e *past part.* dressed
veux *1st or 2d sing. pres. ind. of* **vouloir**
vicaire *m.* vicar, assistant
victoire *f.* victory
vider *reg.* empty
vie *f.* life
vieillard *m.* old man
vieux, vieil, vieille *adj.* old
vif, vive *adj.* quick, lively, ardent, eager, hasty, keen, sharp
vilain -e *adj.* ugly
ville (*pronounce* **ll** *like* **l**) *f.* town, city
vin *m.* wine
vingt *num. adj.* twenty
vingtaine *f.* a score or so
vingtième *num. adj. or m.* twentieth
violent -e *adj.* violent, gaudy, overdrawn
virtuosité *f.* skill
visage *m.* face
vis-à-vis *prep. or adv.* opposite, toward
visiter *reg.* visit, examine
vite *adv.* quickly, fast
vivacité *f.* quickness, eagerness
vivement *adv.* quickly, keenly, ardently
vivre *irreg.* (**vivant, vécu, vis, vécus**) live
vœu *m.* wish, desire
voici *prep.* behold, here is, here are
voie *f.* way, road; **être toujours par** ∾ **et par chemin** be always scouring the country, be always going about
voilà *prep.* behold, there is, there are, that is
voile *m.* veil
voir *irreg.* (**voyant, vu, vois, vis**) see; **voyons!** let me see! come!
voisin -e *m. f.* neighbor
voiture *f.* carriage, wagon
voix *f.* voice
volant *m.* flounce

volée *f.* rank, flight
volet *m.* shutter
volonté *f.* will
volontiers *adv.* willingly
voltige *f.* tumbling, jumping
voter *reg.* vote
votre *poss. adj.* your
vouloir *irreg.* (**voulant, voulu, veux, voulus**) will, intend, wish; **∾ bien** be willing, please, admit; **∾ dire** mean, allude to; **∾ de** want, wish to have; **en ∾ à** be angry with, aim at; **que veux-tu?** *or* **que voulez-vous?** it cannot be helped, the fact is
voûte *f.* arch
voyage *m.* journey, travel
voyageur, voyageuse *m.f.* traveler
vrai -e *adj.* true, real, genuine
vraiment *adv.* truly, really
vu -e *past part. of* **voir**
vue *f.* sight, outlook

y *adv.* there, at home; to him, to it, to her, to them, etc.
yeux *m.* (*pl. of* **œil**) eyes

ANNOUNCEMENTS

INTERNATIONAL MODERN LANGUAGE SERIES

FRENCH

About: La Mère de la Marquise et La Fille du Chanoine (Super)	$0.50
Aldrich and Foster: French Reader	.50
Augier: La Pierre de Touche (Harper)	.45
Beaumarchais: Le Barbier de Séville (Osgood)	.45
Boileau-Despreaux: Dialogue, Les Héros de Roman (Crane)	.75
Bourget: Extraits Choisis (Van Daell)	.50
Colin: Contes et Saynètes	.40
Coppée: On rend l'Argent (Harry)	.50
Corneille: Le Cid (Searles)	.40
Corneille: Polyeucte, Martyr (Henning)	.45
Daudet: La Belle-Nivernaise (Freeborn)	.25
Daudet: Le Nabab (Wells)	.50
Daudet: Morceaux Choisis (Freeborn)	.50
Daudet: Tartarin de Tarascon (Cerf)	.45
De Maistre: La Jeune Sibérienne (Robson)	.35
De Maistre: Les Prisonniers du Caucase (Robson)	.30
Erckmann-Chatrian: Madame Thérèse (Rollins)	.50
Féval: La Fée des Grèves (Hawtrey)	.60
Fortier: Napoléon: Extraits de Mémoires et d'Histoires	.35
Guerlac: Selections from Standard French Authors	.50
Halévy: Un Mariage d'Amour (Patzer)	.25
Henning: Representative French Lyrics of the Nineteenth Century	1.00
Herdler: Scientific French Reader	.60
Hugo: Notre-Dame de Paris (Wightman)	.80
Hugo: Quatrevingt-Treize (Boïelle)	.60
Hugo: The Poetry of (Edgar and Squair)	.90
Jaques: Intermediate French	.40
Josselyn and Talbot: Elementary Reader of French History	.30
Labiche: La Grammaire and Le Baron de Fourchevif (Piatt)	.35
Labiche and Martin: Le Voyage de M. Perrichon (Spiers)	.30
La Fayette, Mme. de: La Princesse de Clèves (Sledd and Gorrell)	.45
La Fontaine: One Hundred Fables (Super)	.40
Lazare: Contes et Nouvelles, First Series	.35
Second Series	.35
Lazare: Elementary French Composition	.35
Lazare: Lectures Faciles pour les Commençants	.30

INTERNATIONAL MODERN LANGUAGE SERIES

FRENCH — *continued*

Lazare: Les Plus Jolis Contes de Fées $0.35
Lazare: Premières Lectures en Prose et en Vers 35
Legouvé and Labiche: La Cigale chez les Fourmis (Van Daell) .20
Lemaître: Morceaux Choisis (Mellé) 75
Leune: Difficult Modern French 60
Loti: Pêcheur d'Islande (Peirce) 45
Luquiens: Places and Peoples 50
Luquiens: Popular Science 60
Marique and Gilson: Exercises in French Composition 40
Maupassant: Ten Short Stories (Schinz) 40
Meilhac and Halévy: L'Été de la Saint-Martin; Labiche: La Lettre Chargée; d'Hervilly: Vent d'Ouest (House) . . .35
Mellé: Contemporary French Writers 50
Mérimée: Carmen and Other Stories (Manley) 60
Mérimée: Colomba (Schinz) 40
Michelet: La Prise de la Bastille (Luquiens) 20
Moireau: La Guerre de l'Indépendance en Amérique (Van Daell) .20
Molière: L'Avare 40
Molière: Le Bourgeois Gentilhomme (Oliver) 45
Molière: Le Malade Imaginaire (Olmsted) 50
Molière: Le Misantrope (Bôcher) 20
Molière: Les Précieuses Ridicules (Davis) 50
Montaigne: De l'Institution des Enfans (Bôcher) 20
Musset, Alfred de: Selections (Kuhns) 60
Pailleron: Le Monde où l'on s'ennuie (Price) 40
Paris: Chanson de Roland, Extraits de la 50
Picard: La Petite Ville (Dawson) 40
Potter: Dix Contes Modernes 30
Racine: Andromaque (Searles) 40
Renard: Trois Contes de Noël (Meylan) 15
Rostand: Les Romanesques (Le Daum) 35
Rotrou: Saint Genest and Venceslas (Crane) 1.00
Sainte-Beuve: Selected Essays (Effinger) 35
Sand: La Famille de Germandre (Kimball) 30
Sand: La Mare au Diable (Gregor) 35
Sévigné, Madame de: Letters of (Harrison) 50
Van Daell: Introduction to French Authors 50
Van Daell: Introduction to the French Language 1.00

81½

GINN AND COMPANY PUBLISHERS

INTERNATIONAL MODERN LANGUAGE SERIES

GERMAN

Arnold: Fritz auf Ferien (Eastman)	$0.30
Auerbach: Brigitta (Gore)	.40
Baumbach: Der Schwiegersohn (Hulme)	.40
Baumbach: Märchen und Gedichte (Manley)	.45
Bernhardt: Krieg und Frieden	.35
Carruth: German Reader	.50
Collmann: Easy German Poetry for Beginners (Revised Edition)	.40
Dippold: Scientific German Reader (Revised Edition)	1.00
Du Bois-Reymond: Wissenschaftliche Vorträge (Gore)	.40
Eckstein: Der Besuch im Karzer, and Wildenbruch: Das edle Blut (Sanborn)	.50
Ernst: Flachsmann als Erzieher (Kingsbury)	.40
Ford: Elementary German for Sight Translation	.25
Fossler: Practical German Conversation	.60
Frenssen: Gravelotte (Heller)	.25
Freytag: Die Journalisten (Gregor)	.45
Freytag: Doktor Luther (Goodrich)	.45
Freytag: Soll und Haben (Bultmann)	.50
Fulda: Das verlorene Paradies (Grummann)	.45
Fulda: Der Talisman (Manthey-Zorn)	.45
Gerstäcker: Germelshausen (Lovelace)	.30
Goethe: Egmont (Winkler)	.60
Goethe: Götz von Berlichingen mit der eisernen Hand (Hildner)	.80
Goethe: Hermann und Dorothea (Allen)	.60
Goethe: Iphigenie auf Tauris (Allen)	.60
Goethe: Torquato Tasso (Coar)	.80
Grandgent: German and English Sounds	.50
Grillparzer: Sappho (Ferrell)	.45
Hauff: Lichtenstein (Thompson)	.90
Hauff: Tales (Goold)	.50
Heine: Die Harzreise, with Selections from his Best-Known Poems (Gregor)	.40
Heine: Poems (Eggert)	.60
Heyse: Anfang und Ende (Busse)	.35
Heyse: L'Arrabbiata (Byington)	.30
Hillern: Höher als die Kirche (Eastman)	.30
Keller: Dietegen (Gruener)	.25
Kleist: Prinz Friedrich von Homburg (Nollen)	.50

INTERNATIONAL MODERN LANGUAGE SERIES

GERMAN — *continued*

Lessing: Emilia Galotti (Poll)	$0.50
Lessing: Minna von Barnhelm (Minckwitz and Wilder)	.45
Lessing: Nathan der Weise (Capen)	.80
Luther: Deutschen Schriften, Auswahl aus (Carruth)	.80
Manley and Allen: Four German Comedies	.45
Meyer: Der Schuss von der Kanzel (Haertel)	.35
Minckwitz and Unwerth: Edelsteine	.35
Mörike: Mozart auf der Reise nach Prag (Glascock)	.45
Moser: Der Bibliothekar (Lieder)	.45
Mueller: Deutsche Gedichte	.40
Müller: Deutsche Liebe (Johnston)	.45
Niese: Aus dänischer Zeit, Selections from (Fossler)	.35
Nollen: German Poems (1800–1850)	.80
Riehl: Burg Neideck (Wilson)	.25
Riehl: Der Fluch der Schönheit (Leonard)	.40
Riehl: Die vierzehn Nothelfer (Raschen)	.25
Rosegger: Waldheimat, Selections from (Fossler). Without vocabulary	.35
With vocabulary	.45
Scheffel: Der Trompeter von Säkkingen (Sanborn)	.90
Schiller: Jungfrau von Orleans (Allen)	.70
Schiller: Maria Stuart (Nollen)	.75
Schiller: Wilhelm Tell (Vos). Without vocabulary	.60
With vocabulary	.70
Schiller and Goethe: Correspondence (Selections) (Robertson)	.60
Schücking: Die drei Freier (Heller)	.30
Seeligmann: Altes und Neues (Revised Edition)	.35
Seume: Mein Leben (Senger)	.40
Storm: Der Schimmelreiter (MacGillivray and Williamson)	.70
Storm: Geschichten aus der Tonne (Brusie)	.35
Storm: Immensee (Minckwitz and Wilder)	.30
Storm: In St. Jürgen (Beckmann)	.35
Super: Elementary German Reader	.40
Thiergen: Am deutschen Herde (Cutting)	.50
Van Daell: Preparatory German Reader	.50
Volkmann-Leander: Die Träumereien an französischen Kaminen (Jonas and Weeden)	.40
Von Sybel: Die Erhebung Europas gegen Napoleon I (Nichols)	.40
Zschokke: Der zerbrochene Krug (Sanborn)	.25